U0136816

中國美術全集

宗教雕塑一

全國百佳圖书出版單位
ARTTIME 時代出版
時代出版傳媒股份有限公司
黄山書社

☆ 國家出版基金項目

圖書在版編目（CIP）數據

中國美術全集·宗教雕塑/金維諾總主編；羅世平卷主編.—合肥：黃山書社，2010.6

ISBN 978-7-5461-1363-0

I.①中… II.①金… ②羅… III.①美術—作品綜合集—中國—古代 ②宗教藝術—雕塑像—中國—圖集 IV. ①J121 ②K879.3

中國版本圖書館CIP數據核字（2010）第112020號

中國美術全集·宗教雕塑

總 主 編：金維諾　　卷 主 編：羅世平　　責任印製：李曉明
責任編輯：宋啓發　　封面設計：蠹魚閣　　責任校對：汪國梁

出版發行：時代出版傳媒股份有限公司(http://www.press-mart.com)
黃山書社(http://www.hsbook.cn)
（合肥市翡翠路1118號出版傳媒廣場7層　郵編：230071　電話：3533762）
經　　銷：新華書店
印　　刷：北京雅昌彩色印刷有限公司

開本：889×1194　1/16　　印張：39.375　　字數：115千字　　圖片：907幅
版次：2010年12月第1版　　印次：2010年12月第1次印刷
書 號：ISBN 978-7-5461-1363-0　　定價：1200圓（全二册）

《中國美術全集》編纂委員會

凡　例

一、編　排

1.本書所選作品範圍爲中國人創作的、反映中國文化的美術品，也收録了少量外國人創作的，在中外文化交流史上具有代表性的美術品，如唐代外來金銀器、清代傳教士郎世寧的繪畫作品等。

2.根據美術品的表現形式和質地，共分爲二十餘類，合爲卷軸畫、殿堂壁畫、墓室壁畫、石窟寺壁畫、畫像石畫像磚、年畫、岩畫版畫、竹木骨牙角雕珐琅器、石窟寺雕塑、宗教雕塑、墓葬及其他雕塑、書法、篆刻、青銅器、陶瓷器、漆器家具、玉器、金銀器玻璃器、紡織品、建築等二十卷，五十册。另有總目録一册。

3.各卷前均有綜述性的序言，使讀者對相應類别美術品的起源、發展、鼎盛和衰落過程有一個較爲全面、宏觀的瞭解。

4.作品按時代先後排列。卷軸畫、書法和篆刻卷中的署名作品，按作者生年先後排列，佚名的一律置于同時期署名作品之後。摹本所放位置隨原作時間。

5.一些作品可以歸屬不同的分類，需要根據其特點、規模等情况有所取捨和側重，一般不重複收録。如雕塑卷中不收録玉器、金銀器、瓷器。當然，青銅器、陶器中有少數作品，歷來被視爲古代雕塑中的精品（如青銅器中的象尊、陶器中的人形罐等），則酌予兼收。

6.爲便于讀者瞭解大型美術品的全貌，墓室壁畫、紡織品等類别中部分作品增加了反映全貌或局部的示意圖。

二、時間問題

7.所選美術品的時間跨度爲新石器時代至公元1911年清王朝滅亡（建築類適當下延）。

8.遼、北宋、西夏、金、南宋等幾個政權的存在時間有相互重叠的情况，排列順序依各政權建國時間的先後。

9.新疆、西藏、雲南等邊疆地區的美術品，不能確知所屬王朝的（如新疆早期石窟寺），以公元紀年表示，可以確知其所屬王朝（如麴氏高昌、回鶻高昌、南詔國、大理國、高句麗、渤海國等）的，則將其列入相應的時間段中。

10.對于存在時間很短的過渡性政權，如新莽、南明、太平天國等，其間産生的作品亦列入相應的時間段中，政權名作爲作品時間注明。

11.某些政權（如先周、蒙古汗國、後金等）建國前的本民族作品，則按時間先後置于所立國作品序列中，如蒙古汗國的美術品放在元朝。

三、圖版説明

12.文字采用規範的繁體字。

13.對所選美術作品一般衹作客觀性的介紹，不作主觀性較强的評述。

14.所介紹内容包括所屬年代、外觀尺寸、形制特徵、内容簡介、現藏地等項，出土的作品儘量注明出土地點。由于資料缺乏或難以考索，部分作品的上述各項無法全部注明，則暫付闕如，以待知者。

四、目録及附録

15.爲了方便讀者查閲，目録與索引合并排印，在每一行中依次提供頁碼、作品名稱、所屬時間、出土發現地/作者、現藏地等信息。

16.爲體現美術作品發展的時空概念，每卷附有時代年表，個别卷附有分布圖，如石窟寺分布圖、墓室壁畫分布圖等。

五、其　他

17.古代地名一般附注對應的當代地名。當代地名的録入，以中華人民共和國國務院批準的2008年底全國縣級以上行政區劃爲依據。

18.古代作者生卒年、籍貫、履歷等情况，或有不同的説法，本書擇善而從，不作考辨。

中國美術全集總目

總目録
卷軸畫
石窟寺壁畫
殿堂壁畫
墓室壁畫
岩畫 版畫
年畫
畫像石 畫像磚
書法
篆刻
石窟寺雕塑
宗教雕塑
墓葬及其他雕塑
青銅器
陶瓷器
玉器
漆器 家具
金銀器 玻璃器
竹木骨牙角雕 珐琅器
紡織品
建築

中國宗教雕塑綜論

一、早期的神靈偶像

史前人類在與自然的接觸和生產勞動中，對與人類生存具有利害關係的自然力產生禁忌和崇拜。自然崇拜的進一步發展，便有靈物崇拜、圖騰崇拜、祖先崇拜和鬼魂崇拜，由此演化出一系列與之相應的崇拜儀式和共同遵守的禁忌行爲，這就是巫術。原始先民共同經歷的是巫教文化階段。屬于新石器時期的文化遺存中，有兩類與原始巫教活動相關的雕刻品，一類是氏族部落的徽號，一類是原始的生產生殖崇拜。

氏族部落徽號由自然崇拜衍生而來，自母系社會起就具有維繫氏族生存繁衍的意味，在原始巫教文化中有着豐富的演進方式，其中包含了對原始祖先的崇拜和對圖騰物的禁忌等多方面的功能。分布在山東魯西大汶口文化的先民，屬于文獻記載的“鳥夷”的先祖。大汶口文化遺存中多見鳥形器皿——簋，并有朱繪的飛鳥柱，具有較典型的部落徽號特徵。以浙江餘杭反山和瑶山爲代表的良渚文化遺址出土有大量用作祭祀的玉器，在玉璧、玉璜、玉琮及蝶形器上，都雕刻有以獸面紋爲主的複合圖樣，有簡有繁。最有特點的徽號標志紋樣是由兩類圖樣複合而成，上層是上闊下窄的倒梯形人面，頭飾豐羽大冠，陰綫紋身，雙手折向胸前，下層主體紋樣爲圓目闊鼻的獸面，唇側下是陰綫刻出的曲肢鳥爪，周體用底紋作裝飾。人、獸、鳥三類紋飾構成了一個形象怪异的紋樣單元，并成爲不同類型玉器的紋樣母題。良渚文化屬吴越新石器時代的文化遺存，生活在這一地區的原始居民以鳥爲部落徽號，因此有鳥越的稱謂。美國華盛頓弗利爾美術館收藏的良渚玉璧就刻劃出山形立鳥的圖騰柱，應是吴越地區崇鳥的具體表現。吴越地區的先民另有奉龍的禁忌，《史記・越世家》記述古越人的遺俗即“文身斷髮，以避蛟龍之害”。按漢代應劭的解釋，是因越人“常在水中，故斷其髮，文其身，以象龍子，故不見傷害也”。良渚玉器上人、獸、鳥複合紋樣的含義，或許可以從這些早期的文獻中找到解答的綫索。越人的部落徽號是以成爲良渚玉器紋樣的母題，巫術的功能在良渚文化中更顯出與氏族生存的直接相關性。

原始的生產方式依賴于自然的賜予，天地四時、日月晴晦、風雨雷電對原始人而言具有無比的魔力，他們將敬畏天地之情寄托在對天地神靈的祭祀之中。浙江河姆渡文化遺址中出土的雙鳥紋骨匕，中部刻雙鳥紋圖案，鳥有冠，大眼，勾嘴，蹼足，修尾。雙鳥取對稱式，相對的鳥頭中間刻有帶火焰的圓紋，可以看作是發光的太陽。安徽含山凌家灘1號墓出土的玉鷹，腹部刻圓環，環內刻飾八角星紋，同樣可能是太陽的標志。同墓還相伴出土了六件玉人，有坐有立，皆頭冠跣足，雙手捂胸，似在祈禱。如將刻劃太陽圖案的玉鷹與祈禱玉人聯繫起來，似乎有了原始自然崇拜的意味。湖北城背溪文化遺址出土的太陽人物紋石刻，立姿的人物刻在一塊高105、寬20厘米的石板中央，頭頂上方刻一輪太陽，腰部兩側各刻一大一小的星星，圖像可明確指稱爲太陽崇拜。龍山文化和石家河文化出土的玉人面，磁山文化出土的陶人面，都有繫帶穿孔，可能是原始先民在相關的祭祀儀式上戴的面具。

具有祭天性質的雕塑圖像，最明確的是河南濮陽西水坡仰韶文化墓葬遺址，這裏先後發掘出三組蚌塑圖像，其中第一組爲龍、虎、北斗圖像，第二組爲龍、虎、鹿和蜘蛛，第三組爲人騎龍、虎、飛鳥等圖像。按天文考古學家的解釋，濮陽西水坡的蚌塑龍、虎圖像所包涵的是四時天象的內容，其方位關係與6000年前天上的龍、虎、北斗星象相符。對原始人而言，用蚌堆塑的龍、虎、鹿等動物來比擬星象需要豐富的想像力和虔誠的宗教感情。龍和虎左右夾侍着墓主人，其擺放方位與後代東方青龍、西方白虎的方位神性質相同。類似的遺迹在湖北黄梅新石器遺址也有發現，黄梅新石器遺址龍虎形象用鵝卵石擺塑而成。這類龍虎形象，除了天文學的解釋之外，是否還意味着人死後靈魂乘龍虎飛升？在這個文化起點上，原始宗教無疑是推進其演進的原動力。

直接與原始人的生存活動發生關係的是對土地和生産生殖力的崇拜。就世界範圍而言，地母偶像崇拜在舊石器時代晚期已經出現，中國發現地母偶像遺迹略晚于歐洲。甘肅秦安大地灣遺址出土一種人頭鼓腹彩陶瓶，器口捏塑成短髮人頭像，鼓腹的瓶體上施繪幾何形圖案。瓶高31.8厘米，整體造型似一孕婦。這類彩陶瓶做工精細考究，不同于普通的實用器，其用途雖不能直指爲地母，但與宗教活動似有聯繫。1982年，遼寧喀左東山嘴發現了一處紅山文化的祭祀遺址，出土了一批小型陶塑孕婦像。1983年又在遼寧牛河梁發現一處紅山文化的女神廟遺址，清理出一件同真人等大的泥塑女神頭像，面部五官具有較强的塑造感，雙眼嵌入玉石。在頭像附近還有更大體量的女性塑像殘塊，從頭像塑造的精細及用材的講究程度來看，紅山文化祭祀遺址中出土的女性雕像已是宗教功能明顯的女神像。將女神像與宗教祭祀和神廟遺址聯繫起來考察，説明在新石器時代晚期，中國已發展出人格化的偶像和儀式化的宗教。

夏、商、周三代是中國進入有史的時代。由農耕氏族聚落形態到宗族、城邑、國家形態的社會演進過程，同時分化或强化着原始巫教的某些特徵。分别由姒姓、子姓、姬姓這三個不同的氏族所建立的王朝，各有自己的祖先誕生神話，享有宗族内的共同禁忌，每個宗族的子孫祭祀同一個祖先，享祀祖廟本身成了氏族凝聚的象徵，也是國家事務的中心。如《左傳》所言，“國之大事，在祀與戎”。“祀”與“戎”二者在青銅時代被看作國之大事，目的即在與天地人神溝通手段的占有。楚子問鼎的故事之所以屢經傳述，是因爲對九鼎的占有在很大程度上是對通天手段的占有。因此，祀與戎既是國家政治，又是國家宗教，這一點從三代考古收獲的青銅禮器和兵器動物紋樣上可獲得鮮明的印象。

青銅器以動物作爲紋飾在殷商已發展到了高峰，剔地突起的獸面紋據有突出的地位，紋樣的母題似在良渚玉器的時代已見端倪。在鼎盛期的青銅器上，以動物爲母題的紋樣已經有了十分豐富的變化。西周時還流行仿生造型的青銅器。這些青銅彝器上大量出現裝飾化或象生的神獸形象，其功能即在于通過動物來溝通天地神人之間的聯繫，裝飾的意義在其次。對此《左傳・宣公三年》有一段啓發性的文字：“昔夏之方有德也，遠方圖物，貢金九牧，鑄鼎象物，百物而爲之備，使民知神奸。故民入川澤山林，不逢不若，魑魅魍魎，莫能逢之，用能協于上下，以承天休。”“用能協于上下”，也就是溝通天地，這裏道出了夏人鑄刻天神動物形象于鼎上的目的。

出土的商周青銅器中有一種人獸共生的特殊圖像，獸肖虎，張口，人頭處在獸口之下。日本泉屋博古館和巴黎賽留西（Cernuschi）博物館收藏的兩件肖生卣，通體爲坐虎形，虎身飾夔龍紋，口大張，虎口下雕鑄一人，雙手伏于虎身，雙足踏虎爪上，人獸合抱。美國華盛頓弗利爾美術館收藏的一件青銅觥和一把青銅刀，均爲商代晚期的器物。觥體作梟形，在觥的後足上雕鑄人形，上有獸首。青銅刀的人獸紋樣飾于刀背，人頭置于獸口之中。安徽阜南出土的青銅尊、安陽殷墟婦好墓出土的一件銅鉞和一件銅鼎耳，均鑄人獸紋樣，作雙獸張口，獸口之間鑄刻有蹲踞的人形或簡化的人面。上述人獸共生紋樣都出現在禮器和兵器之上，顯然與宗教祭祀功能有着内在聯繫。與人相伴的龍虎形獸，在古代先民眼中是一種天獸，這種觀念至遲在新石器時期已經形成。前述河南濮陽和湖北黄梅新石器遺址發現的蚌塑和鵝卵石擺塑的龍虎形象，已表明中國很早就有了龍虎飛升的概念。美國華盛頓弗利爾美術館藏龍山文化玉虎人頭紋刀上，人頭處在虎口處，已經是御獸升天觀念較成熟的形式。洛陽戰國墓出土的騎虎玉人，應是早期信仰習俗的延續。

青銅時代巫師與天地通的宗教儀式如何進行？可信的形象資料得自1986年四川廣漢三星堆祭祀坑埋藏的青銅立人和青銅人面具，相伴出土的還有用作祭祀的金杖、青銅禮器、兵器、青銅神樹、玉器和象牙等，總計四十餘種二百多件。這些出土品用材貴重，製作精美，屬于蜀王的祭祀儀式用品。

三星堆青銅人物立像身高1.72米，連底座通高2.60米，是現知商代青銅雕塑中唯一的大型人物立像。立像頭上作冠，大目闊嘴，長臉方頜，雙手于胸前交握成圈，原有握物相貫，交領長袍和基座上飾有陰綫鳥紋和蠶目紋。在數量衆多的青銅人面中有一大二小三件雙目向前縱突的人面，小的大于真人，大的横闊達1.40米，眼球逼出眼眶，給人以怪异和威懾之感，面部的造型與青銅立像相同。這種誇張雙眼的青銅人像不見于中原的青銅器中，爲古代蜀國所特有。

蜀王舉行如此盛大的祭祀活動，目的也在與天地通。三星堆遺物中有三株青銅神樹，或稱神木，也是一大二小的配置。神木大株高達4米，下有山形基座，有主幹有分枝，枝頭上停歇多隻魚鳧形的水鳥，樹的頂端停歇着人面鳥和攀援于樹幹上的龍。這株大樹是三星堆青銅雕塑中最高的一件。《山海經》曾記載過若木、扶桑等可供上天下地的神樹，生長在昆侖山上的建木則被説成是通神的天梯，傳説黄帝和太皞都曾援木所自上下。三星堆銅樹頂端停歇的人面鳥和攀援于銅樹上的龍似乎印證了傳説中神樹的説法。三星堆另出土有石璋，分層刻出舞蹈狀的人物，頭上有冠飾，足下刻繪起伏的山巒，其用意同樣在于表達“群巫所從上下”的通神觀念。

殷周以來流行的天帝觀念，經過戰國陰陽五行家的改造，發展出一套“陰陽相生”、“五德終始”的神學理論和祠祀禮儀。秦始皇統一六國，信“終始五德之運”，自認爲受命于天，得“水德”之瑞。于是秦依“水德”而改制，用四時祠青、黄、赤、白帝，令祠官擬定常所奉祀的天地星辰、山川鬼神的次序及祭祀禮儀。據《史記》所載，僅秦所在的雍地，就有日、月、參、辰、南北斗、二十八宿、風伯、雨師、四海、陳寶之屬，百有餘廟。每舉行這類祭祀齋祠活動，常供設木雕龍車駟馬及圭幣一類的祭品，《史記・封禪書》對此有詳細的記載。這些作爲祭祀用的龍車和馬車，雕繪當以真實車馬爲依據。1980年，在秦始皇陵封土西側出土了兩乘銅車馬，均爲四馬一御手，車蔽板彩繪雲氣紋圖案，形體比例爲真車馬的二分之一，是仿擬秦始皇及皇后巡行祭祀的御乘複製的。用這兩乘車馬陪葬陵側，除通常認爲的紀念功能之外，宗教祭祀的用意似不可排除。

漢初祭祀上帝鬼神，大體沿襲秦代儀禮。漢高祖劉邦在秦四時之上又立北時，奉祠黑帝。此後，以五帝配五德，各按其方位祠祀，成爲皇帝郊祀的主要内容。漢武帝即位，尤敬鬼神之祠，宫内設祠官、候神方士、本草待詔等職。又用亳人謬忌的“祠太一方”，稱“天神貴者太一，太一佐曰五帝”，令在長安東南郊設泰時紫壇，祭祀太一神，五帝壇各按其方位環居太一壇下。又在宫中常列十二金人，以取則天上紫微宫之十二藩，所謂“金人仡仡，配帝居之縣圃兮，象太一之威神”（揚子雲《甘泉賦》）。每有戰事，便告禱太一。每征服一地，即用當地宗教習俗舉行祭祀。如漢武帝在對匈奴用兵，開通西域的過程中，曾獲休屠王祭天金人，于是在匈奴舊地的雲陽甘泉立“徑路神”祠，按匈奴習俗，立金人祭天地鬼神。在用兵南越之後，乃令越巫立越祝祠祭天神上帝百鬼。自此以後，山神海靈、五岳四瀆、日月星辰無不有祠。

可與文獻記載相參照，能真實反映邊地民族宗教祭祀的雕刻，以雲南晋寧石寨山西漢滇王墓出土的青銅扣飾最具有代表性。扣飾爲高浮雕，有五人戴長尾冕形冠，作一字形排列。前面一人縛牛于祭柱，後面二人一執纜繩，一執牛尾，中間二人雙手扶牛背，牛的周身刻飾捲雲紋。人物均側向祭柱，表情凝重，真實地表現出牲祭巫祝這一宗教主題。滇越之地曾出土過多件與之類似帶血牲祭祀場面的銅鼓，説明血牲祭神在滇人生活中的重要性。

東漢光武帝劉秀以圖讖起家，重祠鬼神，起高廟，建社稷，洛陽城南製八陛方壇祭天神五帝，城北設四陛方壇祭地祇，稱爲南北郊二壇。天神地祇山神海靈各按名位供列于壇上。據《後漢書》記載，僅南郊壇外營、中營所供的神靈就多達一千五百一十四位，可見帝王對天地鬼神的敬祀程度。漢代人祭祀的神靈，《淮南子・天文訓》依其天地之序有過解説。以五星比附五方五帝，青龍、白虎、朱雀、玄武各主一方，統轄二十八宿，并與地上十二州相對應。漢代的占星家以五星在列宿的順逆關係來推定人事吉凶，并將其中隱含的宗教神秘性施刻于圖像，使得表示方位的動物具有了超自然的神性。到西漢末年，表示方位的四神及其輔佐神的形象便逐漸趨于定型，納入到天、地、日、月的神靈體系之中。這些山神海靈形象，《魯靈光殿賦》的描述極其生動，今天出土所見模刻靈獸的秦磚漢瓦則僅是其中的吉光片羽。

先秦祭祀天地鬼神，專設有“神民之官”各司其序。秦漢之際，情况有所改變，在巫、祝這類祠官以外，神仙方士分外活躍。他們大都起自燕齊濱海之地，自詡懷有“形解銷化，與神交通的方術，造説海中神山，仙人不死之藥”。在秦漢兩代敬鬼重祭的風氣之下，燕齊方士或神仙者流備受帝王恩信，他們的言行常常對統治者産生極大的影響。

秦始皇得天下之後，信方士之言，多次派遣使者訪求神仙，并親自東巡海上，冀遇海中三神山之奇藥，秦始皇最後也死在求仙的途中。漢武帝十分迷戀黄老神仙之術，對鼓吹神仙術的方士言聽計從，成爲繼秦始皇之後的又一位尋仙皇帝。每次東巡，上書獻神仙方的方士多時竟達萬人。爲滿足他對神山仙境的渴慕，又在長安建章宫北穿地爲池，取名“泰液池”，池中建蓬萊、方丈、瀛洲、壺梁仙島，池畔還立有大型石鯨、石龜雕塑。1973年在漢長安城故地的烏保子村發現一件造型似魚的石雕，全長4.90米，推測應是太液池畔的雕塑遺品。齊人公孫卿僞造鼎書，借黄帝鑄鼎荆山乘龍升天的傳説，鼓吹服食成仙，于是漢武帝起柏梁臺，作承露盤高二十丈，上有仙人掌以承露。這件仙人承露盤的大型金銅雕塑，三國時還見存于長安，後在魏明帝青龍元年遷此仙人雕像時遭到拆毁。方士欒大，用謊言騙取武帝的信任，身穿羽衣，夜至白茅之上，祠神求仙。此後以羽人表現神仙，即成爲繪畫雕塑中常見的題材。漢武帝對黄老術及方士仙道的執迷加速了二者之間的融和，1973年長沙馬王堆出土的帛書《老子》及《黄帝四經》，真實地反映了黄老神仙思想在漢代的流行。風氣沿襲到東漢，求仙成道之術，已經繪圖成册，在朝野流傳開來。保存下來的美術遺迹中，即見有神仙羽人一類的雕塑品。

1966年漢長安城故址曾清理出一件青銅羽人雕塑，造型十分生動。羽人長臉尖鼻，平額高眉，雙耳直竪過頂，腦後梳椎形髮髻，耳面頸部羽毛叢集。羽人跪坐，肩披羽衣，下着羽裳，雙膝間有插孔，雙手呈持節的姿勢。羽人髮髻、羽衣羽裳皆向後風舉，造型具有飄逸輕靈的美感。陝西咸陽新莊漢渭陵附近出土的羽人騎天馬羊脂玉雕，左手握繮繩，右手持靈芝，作策馬風馳之狀。這件玉雕質地晶瑩温潤，研琢精細，選材和加工手法都較好地體現出登仙的主旨。這類羽人造型大致反映了漢代人心目中的仙人形象，在漢畫像磚、畫像石上有更多地表現。

神仙思想在漢代滋漫的結果，一方面引起人們對煉食修仙之術的迷戀，一方面對那些懷有仙道和不死之藥的傳説人物進一步神化。流傳下來的漢代神仙人物中，繪刻西王母的圖像出現得最早，數量也最多。據畫像石、畫像磚、摇錢樹等資料統計，西王母的圖像就有數百例之多。山東、河南地區的西王母戴勝憑几而坐，常有蟾蜍、玉兔、三足烏、九尾狐相伴；四川地區以摇錢樹西王母最有特色，西王母戴勝坐龍虎座上，加上玉兔、蟾蜍、三足烏和九尾狐，構成一組完整的圖像。各地的西王母形象雖略有不同，但主題均是服食登仙。大約在西王母成爲崇拜偶像之後，出現了與之相配的東王公，山東的畫像石中保留有較多的實例。西王母與東王公集中發現的山東與四川地區，正是神仙思想與早期道教的發祥地。西王母、東王公的偶像化過程，離不開古代燕齊和巴蜀兩地神仙方術深厚的土壤。

二、佛像西來與東夏相制

佛教初傳中國，首先發動于洛陽。相傳漢明帝感夢佛陀，頂有光明，飛在殿前，于是派使者往西域，有了中國歷史上第一次“永平求法”之舉。在當時黄老神仙、齋戒祭祀的宗教土壤上，佛陀被看作來自西方的神仙，具有飛行變化，住壽命、長生久視的神力，所以漢明帝初在南宫清凉臺及開陽門上作佛像，繼而將佛像繪刻在自己的顯節壽陵上，冀借此起到祈福增壽的目的。在“永平求法”之後的百年間，洛陽京邑之地，朝廷爲西域人立寺造塔，以奉其神。所謂“宫塔制度，猶依天竺舊狀而重構之，從一級至三、五、七、九級”（《後漢書・釋老志》）。洛陽城西的白馬寺，初爲西域僧人的住所，後則成爲佛經翻譯的譯場。城中則建有專供西域人參拜和居住的“官浮圖精舍”周閭百間，洛陽成了商胡僧徒游化往來之地。當桓、靈帝之世，宫中則造立華蓋，奉祀黄老浮屠。受洛陽奉佛風氣的帶動，道教神仙方士活躍的山東徐海地區、吴楚江南地區、巴蜀西南地區彼此響應，成爲佛教進入中國後的最初流布區。

洛陽以東的山東徐海地區，早期的佛像以石刻爲主。山東沂南畫像石墓，屬東漢晚期的大型墓葬，在中室八角擎天柱南北二面的最上層，各刻一身“項光童子”立像，束腰佩流蘇，下着裙褲，頭戴網狀冠飾，結髮綰帶，上唇有短髭，頭項間刻雙層圓光，雙手合于胸前，形象姿勢皆貼近犍陀羅菩薩像。柱面人物中佛像特徵更明顯的是八角柱南面中層的一軀坐像，類似跏趺坐姿，頭上刻小髻，左手于胸前握衣，右手上舉，掌心向外，與施無畏印佛像相同。肩後刻有兩道紋飄舉過頭，類似焰肩紋。圖像上的這類特徵爲早期犍陀羅佛像所共有，像法已初具規範。

施無畏印的佛像，在江蘇連雲港孔望山還有摩崖造像留存。造像鎸刻在山體西側的岩石上，其中佛像特點鮮明的造像有三身立像和一身坐像。佛像高肉髻，直鼻深目，皆是右手施無畏印，左手提衣上舉齊胸的犍陀羅樣式。佛像的近旁同時還刻有持蓮面佛的尖帽胡人，禮佛的圖像性質已很清楚。

江南佛法，傳自洛陽，遺迹的年代最早在東吴時期。湖北武昌蓮溪寺彭盧墓發現的蓮瓣鎏金銅飾件，上刻一尊似佛又類菩薩的立像，頭作高髻，有頭項光，左手舉胸前，右手外伸揚掌，雙肘間繞有帛帶，脚下踏仰蓮，爲吴永安五年（公元262年）的出土品。考古出土的江南佛教文物，以銅鏡和魂瓶爲大宗。吴地銅鏡鑄造業十分發達，在東吴入晋的幾十年間，出現了武昌（鄂州）、會稽（紹興）兩大鑄鏡中心。已公布的資料中，可明確辨識雕鑄佛像的銅鏡數量已相當可觀，按其圖樣可分爲佛像夔鳳鏡與佛獸鏡兩大類。佛像夔鳳鏡一般作四瓣柿蒂紋，四葉瓣中或刻佛、飛天及菩薩半跏思惟像，或按四方分别刻作東王公、西王母、佛或菩薩。佛獸鏡分畫紋帶佛獸鏡和三角緣佛獸鏡。通常外區爲奇禽异獸，内區雕刻東王公、西王母、佛像和四獸。湖北鄂州市是佛像銅鏡出土數目最多的地區，湖南長沙，浙江武義、杭州，江蘇南京等地均有發現，年代約在東吴至西晋年間。

魂瓶，又稱穀倉罐，是長江中下游江浙一帶墓葬中常見的大型明器，一般在罐口和罐腹上堆塑或貼塑各類山神海靈、樓館仙禽，以象徵魂魄飛升的神仙世界。近些年，考古陸續發現了數量較多塑有佛像的魂瓶。佛像最初貼塑在罐腹四周，與其它神异形象錯雜相間。大約在吴末晋初，佛像堆塑在罐口上部的樓閣之中，所據位置更加顯赫，相伴還有奏樂胡人，偶像的性質漸趨明朗。南京趙士崗出土的魂瓶，作于吴鳳凰二年（公元273年），佛像模製貼塑，作高肉髻，有頭項光，着通肩衣，結禪定印，是所見有紀年佛像的魂瓶中年代最早的一件。南京市雨花臺區長崗村出土的釉下彩盤口壺，肩部貼塑佛像，佛坐雙獅蓮花座，器腹繪有二十一位持節羽人及芝草雲氣，其主旨即在祝禱升仙。江寧上坊吴天册元年（公元275年）青瓷罐，罐口堆塑樓閣三重，佛像置于樓閣門洞中央，門外有胡人奏樂，屋頂及圍欄上堆塑群鳥，佛像已獲得至尊的地位。相類似的魂瓶在南京博物院收藏有多件，浙江、安徽、湖北等省也有發現。

巴蜀西南地區的早期佛像，主要見于崖墓雕刻和摇錢樹佛像。樂山麻浩崖墓佛像雕刻在麻浩1號崖墓後室門楣上方，呈剪地高浮雕。像有頭項光，高肉髻，着通肩衣，結跏趺坐，右手施無畏印，左手握衣，犍陀羅佛像的特徵很明顯。在距麻浩崖墓不遠的柿子灣崖墓群中也發現了二尊佛像，分别位于柿子灣1號墓的中後室和左後室的門楣上，佛像樣式同爲施無畏印的坐佛像。根據崖墓的相關出土物推斷，年代約當東漢末至蜀漢時期。

摇錢樹佛像是最有巴蜀區域特色的早期佛教文物，佛像有的在摇錢樹座上，有的在樹的枝幹上。樹座佛像見有陶製浮雕，樹枝幹佛像用青銅鑄造，枝葉同時鑄有靈獸、飛禽、羽人一類的神仙靈獸，明顯帶有與神仙信仰相雜糅的特點。1941年彭山江口166號崖墓出土的摇錢樹座佛像，作高浮雕，佛像坐龍虎座，右手施無畏印，左手持衣角，頭髮上梳挽髻，無頭光。佛左右各塑一站立人像。龍虎座原是巴蜀西王母的乘物，這時爲佛像所襲用。

鑄刻在摇錢樹枝幹上的佛像，以四川綿陽和重慶忠縣兩地出土最豐富。綿陽何家山1號崖墓、雙碑白虎嘴19號墓和49號墓、安縣界牌鎮崖墓摇錢樹幹佛像，造型相同，皆是頭有肉髻，唇上有髭，着通肩袈裟，右手施無畏印，左手拳握執衣，結跏趺坐的樣式。安縣界牌鎮崖墓摇錢樹另在樹冠上鑄刻坐于璧上的佛像，佛的左右還有尖帽胡人跪拜。忠縣塗井崖墓群，屬于蜀漢時期，摇錢樹幹佛像分别出土于第5、7、14號崖墓内，共計十四身，樣式與綿陽相同。現藏日本和泉市久保惣紀念美術館的青銅摇錢樹盆，佛像鑄刻在主幹的中部， 據説出土地也在四川。摇錢樹佛像，在陝西的漢中、城固，貴州清鎮等地皆有發現，都是有髭施無畏印的坐佛。這些地區均在進出巴蜀的交通要道上，綿陽、漢中、城固有秦蜀驛道與絲綢之路交通往還，而忠縣、清鎮則是巴蜀來往于江南和交廣地區的孔道。這些摇錢樹佛像，共同呈現出犍陀羅佛像的樣式特徵。

經絲綢之路傳入的佛像，在河西的凉州和北方地區流傳較廣，佛塔與佛像最初模仿犍陀羅樣式，隨之加入中國的文化元素漸成新樣。吐魯番、敦煌、酒泉等地發現的造像石塔屬于十六國時期的遺品，造型模仿印度中亞的窣堵波而略有變化。北凉時期的高善穆塔、馬德惠塔、田弘塔、索阿後塔、宋慶塔等皆爲覆鉢式的塔樣，沿覆鉢壁開龕造像，下接刻經或願文的圓形塔座，又于最下層八角形基座的圖像間加刻八卦符號。這些早期的石塔，體量雖不大，但却是造像塔在中國演變的最初起點。北魏以降，民間流行多級造像石塔，甘肅酒泉、莊浪，山西沁縣等佛寺遺址出土的北朝造像石塔，三、五、七、九級不等，是造像塔進入中國後的變化。

佛像的“改梵爲夏”，有着更加生動的演變過程，并留下了豐富精美的實物。十六國時期的金銅造像中典型犍陀羅樣式的佛像不多，美國哈佛大學福格美術館藏焰肩紋跏趺坐佛、日本京都藤井有鄰館藏提净瓶菩薩立像是其中的範例。同期的多數造像經中國匠師之手，或多或少都加入了本土的因素。美國舊金山亞洲美術博物館藏後趙建武四年（公元338年）銘金銅佛坐像，日本大阪市立美術館藏夏勝光二年（公元429年）銘金銅佛坐像，甘肅省博物館藏後秦金銅佛坐像，頭髮直梳攏起高髻，面部五官凹陷平緩，腹前的雙手直板扁平，袈裟裝飾成規則的衣紋，特徵已離犍陀羅樣式較遠。造型的平面化和衣紋的裝飾化不僅在早期金銅造像上有大量的作品實例，而且在佛教雕塑中漸成民族化的主流趨勢。

佛像中國化出現質的進展，完成于東晋戴逵、戴顒父子，史稱“二戴像制”。戴逵（約公元326–395年）作瓦棺寺佛像五軀，妙好莊嚴，與顧愷之的維摩詰畫像、獅子國進獻的玉佛像同被贊爲“瓦棺寺三絶”。相傳他作會稽靈寶寺丈六無量壽佛及脅侍菩薩像時，爲改變西域佛像的“胡貌”特徵，創造出適合漢地審美習慣的佛像，乃潜坐帷中，密聽衆論，積思三年方成。他還運用中國傳統的髹漆工藝爲招提寺製作“夾紵行像”，人稱一絶。戴氏父子活動的晋宋之際，製像甚多，見于文獻者如蔣州興皇寺丈六金銅佛及脅侍菩薩像、會稽龍華寺彌勒像、吴郡般若臺丈六銅像等。後人評價造像之妙，首推戴氏父子，稱“二戴像制，歷代獨步”。日本東京永青文庫藏宋元嘉十四年（公元437年）韓謙造金銅佛，美國華盛頓弗利爾美術館藏宋元嘉二十八年（公元451年）劉國之造金銅佛，四川省博物館藏齊永明元年（公元483年）無量壽、彌勒像，成都市西安中路出土齊永明八年（公元490年）比丘法海造彌勒像，成都市商業街出土齊建武二年（公元495年）釋法明造觀世音成佛像，梁天監三年（公元504年）法海造無量壽佛像，儀容清秀典雅，修整的體態和裝飾化的衣紋，透露出東晋南朝之際的審美時尚。成都市萬佛寺出土梁普通四年（公元523年）康勝造像，梁中大通五年（公元533年）上官沙光造釋迦立像，梁大同三年侯朗（公元537年）造釋迦立像，造型清俊，褒衣博帶，可以看出由齊入梁前後相繼的江南造像傳統。

北魏的佛像樣式，前期受凉州、長安的影響。北魏太武帝拓跋燾先滅凉州，俘掠凉州僧徒三千人及宗族吏民三萬户遷平城，繼而再下長安，又徙長安工匠二千家于平城，出現"沙門佛事皆俱東，像教彌增"的局面。北魏前期的佛像，方額短項，寬肩厚胸，衣紋貼體凸起雙綫，造型仍未脱去犍陀羅的範式。日本東京國立博物館藏太平真君四年（公元443年）菀申造彌勒佛金銅立像、日本大阪市立美術館藏天安元年（公元466年）馮受受造施無畏印佛坐像、西安碑林博物館藏皇興五年（公元471年）佛交脚坐像、河北省博物館藏延興五年（公元475年）張次戴造施無畏印金銅佛立像、日本私人藏太和元年（公元477年）施無畏印金銅佛坐像、北京延慶宗家營出土的施無畏印金銅佛坐像等，是北魏前期銅石造像中的精品，造型可與雲岡曇曜五窟等北魏前期石窟造像相參照。

北魏自孝文帝遷都洛陽之後，全面推行漢化，文物典章、衣冠服飾取法于南朝，江南秀骨清像、褒衣博帶的審美風尚得以北傳，由此引起了北方佛像樣式的深刻變化，在北魏後期的石窟造像和銅石單體造像上留下了清晰的印迹。日本京都泉屋博古館藏太和二十二年（公元498年）普貴造金銅佛立像，袒右袈裟衣紋雖緊匝貼體，但面容清秀，身軀修長，已見秀骨清像的體式。北京保利博物館藏正始四年（公元507年）法想造一佛二菩薩像、陝西長武縣博物館藏延昌二年（公元513年）郭伏安造交脚彌勒菩薩像、法國巴黎吉美博物館藏熙平三年（公元518年）曇任造釋迦多寶佛并坐金銅像、日本大阪藤田美術館藏神龜元年（公元518年）郫夏□造金翅鳥上交脚菩薩金銅像、美國大都會博物館藏正光五年（公元524年）牛猷造立佛及脅侍金銅鋪像、山東省博物館藏正光六年（公元525年）張寶珠造一佛二菩薩立像等，秀骨清像、褒衣博帶的特徵不僅日漸清晰，而且清羸秀俊的樣式化傾向越來越明顯。風氣相延到東、西魏，佛像轉成定式。日本京都藤井有鄰館藏東魏天平二年（公元535年）張白奴造彌勒佛立像、美國賓夕法尼亞大學博物館藏東魏天平三年（公元536年）樂氏造彌勒佛金銅立像、美國私人藏西魏大統八年（公元542年）趙景造施無畏印佛坐像，以及散存于海内外的東、西魏造像，皆是北魏後期佛像樣式化的延續。傳自犍陀羅的佛像，經過南北名家和工匠的不斷努力，終以樣式化的面貌完成了第一輪的改造。

佛教造像在印度笈多王朝時期走向了民族化，以馬土臘爲製像中心，一種薄衣貼體，圓面螺髮的佛像新樣開始在境内流行，當强盛的笈多王朝向周邊推行佛教之際，印度及扶南等南海諸國普遍盛行笈多樣式的佛像。笈多佛像新樣全面流入中國，由梁武帝開啓風氣。天監元年（公元502年）梁武帝托言感夢阿育王佛像，于是召募八十人赴天竺，至天監十年（公元511年）迎像歸京師。隨之又翻譯《阿育王經》，擴建阿育王寺，修治阿育王像。這次笈多佛教新樣的傳入，以阿育王像爲標志，對中國的宗教造像藝術産生影響中國道釋人物也藉此別開生面。梁朝宫廷畫家張僧繇吸收笈多藝術的造型和技法，創造出“筆才一二，像已應焉”的“疏體”風格，“張家樣”成了中國佛教新樣的代表。

梁朝的螺髮佛像有多處留存，如梁天監年間完成的浙江新昌石城山彌勒大佛、上海博物館藏梁中大同元年（公元546年）釋慧影造像皆是。四川成都發現的螺髮佛像與建康佛像新樣有着更多的相似性。成都商業街出土的梁天監十年（公元511年）王口子造釋迦像，成都西安中路出土梁中大通二年（公元530年）比丘晃藏造釋迦像、梁大同十一年（公元545年）張元造釋迦多寶并坐像等均可看出新樣的特點。成都市西安中路出土梁太清五年（公元551年）杜僧逸造阿育王像，萬佛寺出土的梁中大通元年（公元529年）鄱陽王世子造釋迦像、北周保定二年（公元562年）益州總管柱國趙國公宇文招造阿育王像以及同屬萬佛寺出土的幾件單體佛立像和螺髮佛頭像，題材和樣式都表明了與梁武帝阿育王像的密切聯繫。

北齊分據中原，一手交好南方，一手結交突厥，印度笈多佛像在帝王佞佛和胡化風習的交互作用下迅速流布開來。北齊畫家楊子華創“簡易標美”的疏體人物畫風，曹仲達融笈多藝術和粟特藝術，成“曹衣出水”的“曹家樣”，在北齊佛教繪畫和雕塑上影響深遠。傳世的北齊佛像，多係銅石製作，散見于海内外各博物館中。美國哈佛大學美術館藏鎏金立佛，通高53.7厘米，螺髮，着通肩式袈裟，屬于形體較大的金銅佛像。日本大阪市立美術館北齊天保八年（公元557年）黄海伯造像爲一佛二菩薩的白石造像，坐像螺髮圓臉，袈裟貼體，表面光潤，樣式風格仍有笈多藝術的特點。日本根津美術館石雕立佛，爲通高314.5厘米的螺髮大像。上海博物館藏的石佛坐像，跏趺坐于束腰蓮臺上，蓮瓣形火焰背光内浮雕蓮花化生童子，雕刻起位翹邊加綫刻的技法與北響堂山石窟第7窟完全相同。這些佛像，原都是北齊佛寺中的舊物。

考古發現的北齊佛像主要集中在河北、河南、山西和山東地區。河北、河南和山西地當北齊的政治中心，在河北的曲陽、藁城、臨漳、定州，河南的安陽，山西的太原、沁縣等地都出土有雕造精美的漢白玉和麻石佛像。山東素有佛教造像的傳統，北齊佛像集中發現在博興縣龍華寺遺址、青州市興國寺和龍興寺遺址、臨朐縣明德寺遺址，另在諸城、廣饒、高青、無棣等地的佛寺舊址，先後也發現數量不等的北齊造像。

河北曲陽修德寺出土的北齊佛像，多見小型漢白玉造像，雕鏤兼用。單體佛像表面圓潤光素，衣紋疏簡貼體。菩薩像瓔珞花冠華麗，樣式明顯有别于北魏造像。雙尊的組合像常見有雙釋迦像、雙觀音像、雙思惟菩薩像。佛或菩薩樹下説法的鋪像，通常上部透雕單層或多層的樹幹和飛天，中部圓雕主尊和脅侍像，基座浮雕香爐、雙獅及力士等護法衆，形成整體造像下部厚重敦實，中部疏簡光潔，上部空靈華麗的三段形制。臨漳縣太平渠出土的漢白玉北齊造像、藁城縣賈同村北齊河清三年（公元564年）比丘尼造雙彌勒像、藁城北齊武平七年（公元576年）賈蘭業兄弟造雙思惟菩薩像、山西太原華塔村出土的觀音菩薩像，概是曲陽三段式的造像。

青州地區的北齊造像以當地出産的石灰石爲主要材料，雕像表面磨光，彩繪裝金。青州龍興寺北齊時期的立佛和坐佛，以圓面螺髮、薄衣貼體隱現軀幹爲主要特徵。單體立佛形體簡潔，表面光素；跏趺坐佛雕刻成袈裟裹足、露掌或不露掌的形式，像制見于南北響堂山石窟、安陽寶山大留聖窟及小南海石窟，可見是鄴城、晋陽和青州地區的常見樣式。博興龍華寺遺址出土的一尊立佛，着袒右式袈裟，圓面彎眉，頭頂盤有高大的螺髻，造型具有明顯的南海人種特徵，説明加入了南海雕刻因素的笈多樣式也同時傳到了北方。青州的菩薩立像造型挺直，輪廓簡潔，項飾與花冠精巧華麗。瓔珞紳帶雕刻繁縟而不損整體造型。天衣帔帛、薄衣裙帶用綫淺刻，强化了菩薩修長挺拔的身姿。華美端莊成爲北齊菩薩像的共同特點。

南梁北齊，立國都短，皆因皇帝佞佛，再次啓動了新一輪向印度迎取佛教經像的熱潮，在短短的幾十年間，印度笈多佛像新樣迅速取代了晋宋北魏的造像傳統，成了佛像的主流，隨之引發的佛像改制，催生了南梁北齊簡易標美“疏體”風格的誕生。梁朝的“張家樣”與北齊的“曹家樣”隔江呼應，聲息相通，爲百工楷模，其作用和影響在隋唐之際的佛像中仍歷歷在目。

北周造像感受時代新風，佛像脱去西魏的清癯而漸趨豐腴。北周武帝滅法，造像活動略有停頓。隋文帝楊堅登基改元，恢復佛道原有的地位，敕令五岳各建佛寺，下詔修復北周武帝滅法時所毁寺院，任民出家，聽造經像，佛教迅速得以復興。全國製作佛像多達十萬六千五百八十驅，裝修佛像一百五十萬八千九百四十餘軀。隋煬帝時又造新像三千八百五十軀，修治故像十萬零一千軀，佛像雕鑄風氣日熾。

隋代供奉于寺院中的佛像計有鎏金、鍍銀、木雕、石刻和泥塑的不同種類，傳世品和發現品都有，國内和海外收藏的紀年造像，年代從隋文帝的開皇到隋煬帝的大業年間，差不多能看到佛像在隋朝的演變綫索。西安市南郊東八里村出土隋開皇四年（公元584年）寧遠將軍武强縣丞董欽造阿彌陀鎏金銅像、美國波士頓美術館藏的范氏造阿彌陀三尊金銅像，雕鏤結合，工藝精湛，屬于隋代金銅佛像中的精品。隋代的石佛像藏品相對豐富，北京、陝西、山西、山東、河南、河北等省市博物館都保存有體量高大的造像，歐美、日本等國也有不少收藏品，這些大像原都屬于各地的佛寺，大多出自民間匠師之手，在技術上各有傳承，因此在造像風格上亦表現出明顯的地域化特徵。北京故宫博物院藏隋開皇十一年（公元591年）張藏仁造彌勒三尊像，是曲陽修德寺窖藏中的紀年佛像，表面打磨光潔，充分顯示出白石細膩温潤的質地。河北、山東一帶原有北齊造像的優良傳統，佛像雕造的水平較高。山東柳埠四門塔心室遺存的四方佛石像，其光素簡潔的風格，與塔頂石隋大業七年（公元611年）的建塔題記前後相屬。陝西碑林博物館近年收藏的周隋石佛造像，體量高大，造型豐滿，屬于關中的大型造像遺例。

隋代銅、石造像雖有地域文化基礎的不同，但因在南北統一的背景之下，畫師工匠之間的互相交流使得佛教造像的風格面貌、技藝水平開始趨于一致，佛教造像風格上的南北合流，技藝上的漸趨寫實爲唐代宗教藝術的輝煌奠定了基礎。

三、唐宋佛像範式

唐代佛道并盛，立國之初，佛寺造像大部分沿用前朝的樣式。唐太宗貞觀以後，隨着唐僧西行和梵僧東來，新的佛像圖樣連同佛經一道流入唐土，由此引發了唐代造像史上新一輪造像熱潮。新傳入的佛像新樣，首先在長安和洛陽兩京地區得到繪刻模塑，然後流布于四方州郡，如印度優填王像，是玄奘帶入長安的七尊佛像之一，在洛陽龍門石窟現存造像七十餘尊。王玄策在印度摩揭陀國摩訶菩提寺求得的釋迦牟尼降魔成道瑞像，圖樣由隨行的雕塑家宋法智模繪帶回長安，一時間動京城，形成“道俗競模”的局面。今存龍門石窟擂鼓臺南洞方壇上一尊頭戴花冠，項飾瓔珞的降魔成道瑞像，是從洛陽佛寺移入的造像，應是與洛陽大敬愛寺菩提瑞像時間相近的作品。在兩京之外的四川廣元、巴中、蒲江等地也有菩提瑞像的遺例保存至今。義净帶回的金剛座真容像，武則天時在兩京地區流傳翻刻，原樣爲一佛二菩薩的三尊組合。現存日本東京國立博物館，原屬長安七寶臺的多件造像，即是這個時期流行的樣式。這樣的三尊像還常見于同時期的石窟龕像和供奉于寺塔的善業泥像。

高宗、武周時期，漸趨發達的印度密教隨梵僧東來，較爲規範的密教圖像開始出現在兩京寺院。永徽二年（公元651年），中天竺沙門阿地瞿多（無極高）駐錫長安，應僧俗之請，于慧日寺浮圖院作普集會壇，隨後宣譯梵本《陀羅尼集經》十二卷，密像壇法自此始有儀軌可循。阿地瞿多之後，印土僧人善無畏、金剛智、不空相繼在長安結壇灌頂，翻譯密籍。長安則建有專門傳授密教的壇場和寺院，系統的密部佛像和菩薩像也漸為民衆祈請供奉。張彦遠《歷代名畫記》、朱景玄《唐朝名畫録》等唐人畫史著作中均録存有千手千鉢文殊、千手千眼觀音像的壁畫，今藏日本東京國立博物館武則天長安三年（公元703年）的十一面觀音立像，原屬西安寶慶寺，是年代較早的紀年密教造像之一。西安碑林博物館藏安國寺出土的明王像，是長安寺院密像的劫後餘存。玄宗天寶年間依不空密法詔立的毗沙門天王像，遠至邊疆，近及京畿，寺院城樓皆有樹立。新疆和田丹丹烏里克寺院遺址，存有西域風格的毗沙門天王塑像和有關于闐建國傳説的壁畫，使毗沙門天王更具有傳奇色彩。護國安民的毗沙門天王像在雲南、四川等地均有遺存，開龕造像的風氣一直延續到唐末五代。

以長安爲傳播中心的佛像新樣，另有一部分出自中國名師相匠的創造。活躍在初唐時期的雕塑家有相匠韓伯通、宋法智、吴智敏、安生、竇弘果、毛婆羅、苑東監孫仁貴等人，他們都是當時的塑造妙手。如宋法智傳模印度的菩提瑞像，安生創造五臺山文殊新樣，竇弘果塑敬愛寺佛像及金剛護法等，都爲一時流行的樣式。唐朝繁榮期的藝術，人物以豐肥爲美，佛教造像在印度笈多風格的基調上又加入了唐人的審美時尚，創造出神聖莊嚴、慈慧親切的佛和菩薩。有“畫聖”之譽的吴道子，佛像人物造型生動，超凡入聖，“吴家樣”成爲畫家百工的典範。塑聖楊惠之，人物塑造逼真傳神，人稱“形模如生”。佛教造像參照現實人物，時代氣息濃厚。傳説洛陽廣愛寺楞伽山景、五百羅漢像及千手千眼菩薩形象都是由他創製的。盛唐以後的菩薩像，受仕女畫的影響，匠師常依世間女子中形容姣好者而製樣。菩薩造型豐圓，高貴華美，因有“菩薩若宫娃”的説法。仕女畫家周昉，妙創水月觀音之體，端嚴柔麗，别具一格。“周家樣”對中晚唐以後的菩薩造像影響深遠，幾乎成爲佛寺石窟必不可少的繪塑題材。

唐代流傳于世的佛像，時代氣息濃厚。日本京都藤井有鄰館藏馬周造像、日本東京國立博物館藏原西安寶慶寺造像、山西五臺山南禪寺和佛光寺彩塑、山西晋城青蓮下寺彩塑，可以看到從初唐到盛唐到中晚唐的發展演變，風格脉絡清楚。“長安樣式”在中國佛教造像的民族化進程中起着規範和引領的作用。

五代、宋、遼佛教造像遵循唐朝範式而漸趨定型，法像儀軌隨着佛教部派的分立和通俗化的進程，世俗化的特徵更加明顯。河北正定隆興寺大悲閣千手千眼觀音銅像、山西大同下華嚴寺薄伽教藏殿遼代彩塑、天津薊縣獨樂寺十一面觀音像等，反映了唐宋之際不同區域和民族共同的文化特徵。隆興寺大悲閣是北宋初年的遺構，宋太祖敕建大悲閣内千手千眼觀音菩薩銅像。像通高22米，采用分段鑄造裝接技術，全身裝金，是國内現存最大的金銅造像。大悲像壇側石雕力士、蟠龍、伎樂天人，造型生動，反映出北宋初年佛像風格與唐代的傳承關係。由于帝王的提倡，佛寺建大悲閣，供祀觀音像蔚爲風尚。蘇東坡參巡成都大悲閣内檀香木雕大悲觀音像，寫成名篇《大悲閣記》。天津薊縣獨樂寺觀音閣（一稱大士閣）内十一面觀音像高達16米，是現存寺院造像中僅見的幾尊大像之一。以觀音爲主尊，配以文殊、普賢二菩薩，是入宋以來觀音信仰在民間流行後逐漸發展起來的新樣式。山西長子縣崇慶寺元豐二年（公元1079年）三大士像，觀音居中乘坐麒麟，文殊、普賢配饗兩側，所乘獅象皆取卧姿，以此突出觀音菩薩，在造像組合及形象處理上頗有新意。元、明、清漢地寺院普遍塑繪供設三大士像，其基本樣式不出宋代。宋代寺院普遍供奉觀音像的風氣一直延續下來，觀音法像也在民間變化出多種名稱和形態，成爲佛教造像中名相最多的菩薩。

在隨緣應化的菩薩之中，觀音、文殊、普賢、地藏四大菩薩的名山道場，入宋以後競相增飾，光景殊勝。五臺山在唐代建成文殊菩薩道場，香火久盛不衰。五臺山佛光寺大殿唐代彩塑文殊騎獅像，有于闐王牽獅引路，是唐代的新樣。佛光寺文殊殿金代彩塑文殊像，用的仍是唐人樣式，隨着華嚴宗的興起，文殊騎獅像也隨之流傳開來。峨嵋山普賢菩薩道場，宋時特受朝廷重視，太平興國五年（公元980年），宋太宗趙光義派張仁贊專任像事，鑄成普賢菩薩乘象銅像，重達62噸，後又于端拱二年（公元989年）和大中祥符四年（公元1011年）再由朝廷修裝普賢銅像。像今保存在峨嵋山萬年寺無梁殿内，與正定大悲閣千手千眼觀世音銅像一南一北，合稱雙璧。地藏菩薩是唐宋流行的造像題材，隨着地獄十王經典的傳播，地藏與地獄十王結合的造像成爲宋以後佛寺常見的造像，山西晋城青蓮寺、靈石資壽寺、長子崇慶寺、平遥雙林寺地藏殿彩塑，可供觀察宋明地藏十王彩塑的風格面貌。

兩宋之際，禪宗代興，佛寺禪堂除供設佛像之外，另有十二圓覺菩薩和羅漢的常見像設。依據《圓覺經》雕造的十二圓覺菩薩，現存年代較早的遺例有山西長子縣法興寺政和元年（公元1111年）十二圓覺菩薩。這組菩薩塑像，高髻秀頤，或托腮思惟，神情俊逸，或舉手化導，慈憫感人，是宋以後多菩薩組合像的典範之作。

羅漢像是在禪宗勃興之後盛行的造像題材，依不同佛典而有十六羅漢、十八羅漢、五百羅漢等名目。山西晋城青蓮寺（上寺）東配殿十六羅漢，年齡相貌各不相同，造型自然生動，衣紋服飾簡潔洗練。長子縣崇慶寺十八羅漢，塑于宋元豐二年（公元1079年），形象寫實，情態各有生趣。山東長清靈岩寺千佛殿羅漢群像，雕塑于宋嘉祐年間（公元1056–1063年），元致和元年（公元1328年）重裝。現存四十尊羅漢像中有二十七尊保存了宋代風格，形象姿態、神情性格無一雷同。静坐禪觀，游戲談論，舉手投足間頗見人物性情，充分展示出宋代工匠高度的塑造技巧和把握人物性格特徵的能力。江蘇蘇州甪直鎮保聖寺現有十八羅漢塑壁殘存，采用高浮雕手法，置羅漢于山水丘壑間，氣勢壯闊。域外梵僧，多作深目高鼻，濃眉虬髯；漢式羅漢，氣質衣裝則模擬漢人高僧。五百羅漢像的繪塑更爲普遍，見于文獻記載的有北宋雍熙元年（公元984年）浙江天台山壽昌寺五百羅漢、咸平四年（公元1001年）開封大相國寺銅鑄五百羅漢、大中祥符元年（公元1008年）河南輝縣市白矛寺造五百羅漢像、乾興元年（公元1022–1023年）開封開寶寺羅漢殿脱胎五百羅漢像、慶曆五年至七年（公元1045–1047年）廣東曲江南華寺木雕五百羅漢、政和四年（公元1114年）河北行唐普造院五百羅漢、宣和二年（公元1120年）四川閬中香成宫五百羅漢、宣和六年（公元1124年）山東長清靈岩寺金漆木雕五百羅漢、南宋時杭州西湖雲林寺、净慈寺均有五百羅漢塑像。如此種種，可見宋代五百羅漢像的供設雕造情況。上述文獻中所記的五百羅漢像大都毁失，僅廣東曲江南華寺一堂保存下來，尚可從中窺見兩宋五百羅漢像制的規模和圖様。後代禪寺多設羅漢堂，五百羅漢皆于宋代的造像範式下求得變化，形成時代和地域性特色。

宋元以降儒道釋三教合流的進程，使得佛教法像的民間化傾向愈加明顯，佛寺造像從主流美術中分離出來，承續唐宋傳統，在民間自相傳承。山西平遥雙林寺、長治觀音堂、隰縣千佛庵、大同善化寺、北京大慧寺、陝西藍田水陸庵等彩塑，様式和技法傳承多存唐宋古法，仍是值得今天格外珍視的寶貴遺産。

四、由觀相思神到道像科儀

東漢末年創始于民間的原始道教，隨着天師道首領張魯降曹，“户出十萬”的漢中信道民衆大批北遷關隴、洛陽、鄴城等地，他們中的上層人物，依附于北方的世家豪族，影響逐漸滲透到統治者中，與玄學、佛教、仙道同時顯迹于當時的社會上層。延熹八年（公元165年），桓帝曾兩度派中常侍到苦縣（今河南鹿邑縣東）祀老子，又在宫中設壇祭祀老子浮屠，命丞相邊韶撰《老子銘》。天師道在西晋武帝時開始由北方傳入江南。西晋末年，永嘉喪亂，晋室衣冠士族南渡，天師道信徒也隨之轉向南方，并與江南沿海原已流行的神仙道教合流，成爲東晋士族中信衆最多、勢力最大的宗教之一。北方大族和吴地望族中或有信奉天師道的世家，或是家族中有信道的傳統，他們的參與，開始改變着原始道教書符治筴的民間性質。一些出身大族的道士，兼修佛法，將黄老與佛法相互融通，撰著經論。《洞神》、《靈寶》、《上清》等大批道教新經典，在晋宋之際開始流行于江南，葛洪《抱朴子》著録漢魏以來各種道經圖籍，達二百五十七種，一千一百七十九卷，《廣弘明集》統計的六朝道教經書則多至一千二百二十八卷。他們寄予其中的理想和志趣，大大豐富和發展了道教的教義和修行方式，初步建立起道教自身的戒規科儀和神祇體系。

早期道教以觀像思神爲主要修習方式，道教早期經典《太平經》中曾講到利用畫像以助思神的文字，但所述的畫像内容衹是借觀的引子，以元始天尊爲道教主神的系統圖像并未出現。大概在晋宋之際，經江南道士陸修静（公元406-477年）及其傳人陶弘景的努力，以天尊爲主神的三清道教神靈系統才正式建立起來。陸修静編撰了最早的道藏目録《三洞經書目録》，創立了道服，還仿擬一佛二菩薩像製作天尊及脅侍二真人像供于道堂，開啓了道教造像的風氣。陸修静的再傳弟子陶弘景，纂集《真靈位業圖》，制定出天尊統御下的道教主神和輔佐之神，成爲以後製作道教圖像的重要依據。《隋書・經籍志》曾有專文描述南北朝道教設醮齋戒，布陳法像的情況。當時的道像，傳世的作品皆爲真人脅侍天尊的組合。羅振玉《神州國光集》收録的造像拓本中見有南朝蕭寶寅隆緒元年（公元527年）女官（即女道士）王阿善的天尊像造像碑（原碑藏中國國家博物館），正面浮雕二位袖手并坐的道教主神，高冠長鬚，左像頭側有陰文榜題“玉皇”字樣。主尊像後立三身真人脅侍像，相式做法帶有佛像儀軌的明顯痕迹。

北朝的佛道造像碑，在陝西歷史博物館和銅川市耀州區、臨潼博物館都有收藏。道教碑像大體有兩類，一類是佛像和道像同時雕刻在一塊碑石上，習稱雙教碑，另一類即是獨立的道教造像碑。北朝的雙教碑保存至今的有多尊，陝西歷史博物館收藏的田良寬造像碑，四面鑿龕，佛道造像各半。道像頭戴道冠，着漢式袍服，右手持麈尾，左手撫膝，跏趺坐姿，上唇有髭，兩頰及下頦有長鬚。天尊像後立二真人。闕檐式龕楣上刻有雙鳳祥雲。龕下爲造像主、道士及道民的供養像。這一時期的天尊像，都與田良寬造像相似，道冠道袍，束髻長鬚，執麈尾。而龕形、背光、座式以及飛仙、脅侍等，也多仿佛教造像而成爲常見的樣式。

獨立的道教造像最早的遺例是北魏太和二年（公元478年）劉氏造像碑（藏銅川市耀州區藥王山博物館），單面開龕，道像頭戴道冠，雙手持麈尾于胸前，并刻有頭光，二脅侍捧笏立于兩側。這塊碑像造型粗短敦實，手法簡練。原屬鄜州（今陝西富縣）石泐寺舊藏，後流入日本的天尊像，爲永平年間（公元508-512年）的遺例。像體作舟形，天尊倚坐雙獅座，兩手拱握于胸前，束髮成髻；二真人雙手合十恭立；上方對稱浮雕二飛仙，身體略顯僵直，造像用排刀鑿刻，具有較濃厚的民間特點。陝西歷史博物館藏朱雙熾造像，作于北魏延昌元年（公元512年），道像戴冠，持麈尾，細頸，削肩，面型清秀，與同期佛教造像中表現出的“秀骨清像”樣式一致。原西安樓觀臺舊藏的四面道像，天尊結跏趺坐，右手施無畏印，左手與願印，面相服飾及頭項光與佛像無大區别，唯頭上戴冠與佛像不同。道像的雕造仿造佛像儀軌，大約在此後的民間愈見普遍，甚至出現菩薩脅侍老君的現象。北周甄鸞曾在《笑道論》中説及這種現象，“有道士造老君像，二菩薩侍之，一曰金剛藏，一曰觀世音”，這説明北朝晚期佛道合流已成習尚。日本東京美術學校收藏的北周天和三年（公元568年）老君造像，老君居中，頭戴高冠，長髯齊胸，身前置三足夾軾，右手持麈尾，左手撫軾，兩旁有捧笏真人侍立。這一圖様初從維摩像而出，加以變化後而成老君像的儀範，隋唐道像即是循此圖様而成獨立様式。

道教在隋代受到帝王的保護，隋文帝登基改元，開皇的年號即采自道書。“所以雕鑄靈像，圖寫其形，率土瞻仰，用申誠敬”（《隋書·高帝紀》）。道教天尊刻石供祀于宫觀廟宇，開皇十八年（公元598年）益州道士韓朗、綿州道士黄儒林等造千尺大像，建千日大齋。大業（公元605-618年）中嘉州開元觀大殿西頭塑天尊、飛天、神王像，天尊坐像高二丈餘。這些大體量的道像，可與佛像比肩。西安碑林博物館藏隋開皇三年（公元583年）白顯景造像，爲手持麈尾的跏趺坐像，座下雙獸，是北朝以來流行的様式。隋開皇十五年（公元595年）銘的元始天尊玉石像和開皇十六年（公元596年）蔡仕謙造天尊石像，結跏趺坐，座前置三足几，左右各刻脅侍及蹲獅，也與文獻記載的造像儀軌相吻合。

李唐王朝自認是老子的後裔，對道教特予庇護。高祖李淵登終南山拜老子廟，欽定道、儒、佛三教先後次序。太宗李世民拜道士受符籙。高宗于乾封元年（公元666年）追尊老子爲“太上玄元皇帝”。至玄宗朝，老子封號已加至“大聖祖高上大道金闕玄元天皇大帝”。又設崇玄學統領道教宫觀，令兩京及諸州建立玄元皇帝廟，以睿宗以上五位皇帝配祀。又敕兩京及天下州郡取官物鑄金銅天尊及佛各一軀，送開元觀、開元寺供祀。道教受庇于朝廷，而得以迅速壯大起來。

唐朝道教造像因有吴道子、楊惠之等名師巧匠的不斷推求，藝術水準已趨成熟。如武則天時，匠人廖元立于雲頂山鑄造天尊鐵像。玄宗開元中，塑聖楊惠之在洛陽北邙山玄元觀老君廟塑神仙像。天寶七載（公元748年），元伽兒爲驪山華清宫朝元閣降聖觀造白玉老君像。晚唐有劉九郎塑河南府南宫大殿三清大帝及守殿神像等。這些道像時稱“能妙絢麗，曠古無儔”。唐代道教造像存世不多，陝西省西安碑林博物館藏漢白玉老君像，原屬驪山華清宫朝元閣老君殿舊物，像通高194厘米，相貌温厚静肅。唐人鄭嵎《津陽門詩注》説，此像爲幽州工匠所造，與元伽兒玉石像同爲珍品。山西安邑觀主趙思禮造元始天尊像（現藏山西博物院），雕造于開元七年（公元719年），仍用周隋憑几持麈尾的様式，但造型簡潔，衣紋綫刻流暢，容貌氣質俱盛，代表了盛唐時期道像的藝術水準。

宋代進入道教美術的輝煌時期。從太祖趙匡胤到徽宗趙佶，不斷興建道觀。太宗趙光義修建上清太平宫，按照道士張守義提出的建壇儀範，塑像祠祀諸神。建隆元年（公元960年）于終南山建宫觀，中部列玉皇通明、紫微、七元、真君四大殿，東廡之外有天蓬、九曜、東斗、天地水三官四殿，西廡之外有真武、十二元神、西斗、天曹四殿，又有靈官堂、南斗閣并列星宿諸神之像。雍熙年間（公元984–987年）又修建太乙宫，于十殿、四廊繪塑五百二十四神，道教神像至此已脱去佛像的羈絆，漸成自身的圖像體系。宋真宗趙恒修建玉清昭應宫，廣大宏偉，招募天下塑工畫手，各呈技藝，殿中的玉皇像按唐代塑聖楊惠之太華觀玉皇像裝成，又塑真宗御容侍立玉皇之側。宋徽宗趙佶更是崇尚道教，詔天下訪求道教仙經，令洞天福地普建宫觀，塑造聖像。政和以後，徽宗施行了一系列的崇道政策。册封自己爲“教主道君皇帝”，令天下皆建神霄萬壽宫。又製《九星二十八宿朝元官服圖》，命道士林靈素重新定齋醮制度和神祇名目，在《上清靈寶大法》中録存的宣和神祇系統的三百六十分位名目中，有三清、四御、六天帝君、十太乙、日月星宿、三官、四聖、五岳、酆都大帝、功曹、使者、金童、玉女、香官、吏役、城隍土地及各種神祇所屬兵馬，這一系統成爲以後繪塑道像的主要依據。

宋代道觀的塑像在南方和北方皆有保存。山西太原晋祠聖母殿彩塑、太原真武廟木雕和山西晋城玉皇廟彩塑是北方道教造像的代表。晋祠聖母殿彩塑爲崇寧元年（公元1102年）重修時的作品，主像聖母端坐于木雕神龕内，鳳冠霞帔，神態端莊，雍容華貴。龕外兩側分列四十二身男女侍從，有宦人、女官和侍女。人物塑造取真人形貌，體態神情互不雷同。山西晋城玉皇廟建于神宗熙寧九年（公元1076年），三進院落，元至正十五年（公元1355年）增建山門及鐘鼓樓。正北的玉帝殿，塑玉皇大帝，普天星君，東廡塑三元、四聖、九曜星像，西廡塑十二辰宿、六太尉等。玉帝殿神龕内玉皇大帝塑像，持圭端坐，氣度雍容。神龕前及左右兩側，列置文武侍臣和侍女像，衣冠服飾及形象特徵如同宫廷文武百官。這堂造像雖經後世重裝，形象間仍可見出宋代遺風。神臺上的二十八宿元代塑像，形態各不相同，生動而富于想象力。江南蘇州的玄妙觀三清殿，于南宋淳熙六年（公元1179年）重建，殿内三清塑像依照流行的圖樣雕造，惜經後世多次修妝，已失原貌。福建泉州北清源山老君像，由一塊天然的花崗石雕琢而成，高5.50米。老君身着寬敞道袍，盤膝而坐。左手撫膝，右手依案，長髯齊胸，雙眼凹陷。神情慈和而睿智，是現存宋代大型石像中的杰作。

宋、元之際南北道教各有所宗。南方以江西玉隆萬壽宫爲中心，有净明忠孝道的興起，這是天師道與儒家思想相結合的新道派。在北方影響力最大的全真教，是以三教圓通，識心見性，獨全其真爲其宗旨的道派。因長春真人丘處機受元太祖的器重，全真教在北方的道徒甚衆，道觀的興建，僅元大都就有萬壽宫、通玄宫、白雲宫、長春宫、崇仙宫、西太乙宫、天長觀、洞真觀、玉虚觀等五十二宫七十觀。宫廷内置畫局和人匠總管府，并延請尼泊爾工匠阿尼哥，主持塑造北斗殿前三清殿神像及城隍廟東三清殿内三清聖像及侍神百尊，爲元代的道教造像注入了活力。

明清時期真武、八仙和關公信仰流行。明成祖迷信北方真武神，上封號真武大帝，賜各地建真武廟，塑真武大帝像。湖北武當山以奉真武神而聞名，明永樂時詔發軍民三十萬建成八宫二觀三十六庵堂的龐大建築群，明嘉靖時再加增飾，供設神像法器。現存武當山天柱峰金殿内的真武帝君和金童玉女、水火二將銅像是明清道像中的精品。倫敦大英博物館藏真武修行銅雕，人物活動和山水環境相互襯托，反映了明代工匠處理情景雕塑的高超能力。明清八仙和關公是家喻户曉的題材，民間城隍道館繪塑成風，傳世的作品中盡有石雕、泥塑、木雕、陶瓷、金銅等種類，成爲民衆喜聞樂見的造像形式。

五、入華胡人與三夷教雕刻

西域胡人入華，在傳入佛教的同時，還帶入了稱爲“三夷教”的祆教、景教和摩尼教，後期還有印度教。在漢唐之際胡化漸盛的風氣下，進入中國的胡人聚族而居，仍奉行本民族的宗教信仰和習俗，并將他們供奉的神靈偶像留在了中國的土地上。

祆教，原稱瑣羅亞斯德教（Zoroastuanism），公元前六世紀由瑣羅亞斯德（Zartosht）創立，是伊朗高原和中亞地區流行的古老宗教，阿契美尼德王朝（公元前539–前331年）、帕提亞王朝（公元前247–公元224年，即安息）、薩珊波斯王朝（公元224–651年）都立該教爲國教。瑣羅亞斯德教主張善惡二元論，以《阿維斯塔》(Avesta)爲經典，奉阿胡拉・瑪兹達（Ahura Mazda）爲最高天神，有專門的神廟和專職的祭司供設火壇，主持儀式，中國古代稱這種宗教爲“火祆教”、“拜火教”，或簡稱“祆教”。由于進入中國的祆教信徒主要是來自中亞粟特地區的胡人，所以他們供奉的神靈又被稱爲“胡天”。漢文史料最早記載胡人祭拜胡天神在西晋末年，到北魏時，洛陽境内祭祀祆神胡天已有規模。北齊和北周的皇帝祭祀胡天神，又有拜胡天制，這個風氣在隋唐時依然沿襲。敦煌出土文書P.2005《沙州都督府圖經》（巴黎法國國家圖書館藏）記録了供祆神的寺院“畫祆主，總有二十龕。其院周回一百步”。S.367《沙州伊州地志》（倫敦大英圖書館藏）記伊州“火祆廟中有素書（畫）形象無數”。P.4518（24）（巴黎法國國家圖書館藏）敦煌白畫中的四臂女神據考證是祆教的娜娜女神，新疆于闐廢寺出土的部分壁畫和木版畫中也有胡天神的内容。近年在河北、河南、陝西陸續出土信奉祆教的胡人墓葬，雕刻的題材，部分屬于祆教圖像，部分則是祆教的葬禮習俗。

見存的祆教雕刻品，有石椁和石棺床。在盧芹齋原收藏品（Loo Collection）中曾有一件被稱作“曹操床”的石棺床，二十世紀初出土于河南安陽。棺床四面圍合，正面設子母闕，門壁的外立面和石棺床的内壁刻有構圖繁密的畫面。這之後石棺床拆散，分藏于歐美幾家博物館中。德國科隆藝術博物館藏的子母闕石，檐下浮雕人物行列，左右對稱，合計二十四人，旗幟二十二面，隊列殿後是裝飾華麗的馬匹，領頭的是着翻領緊身胡服戴口罩的司火祭司，他的杖頭下有火盆，所刻爲祆教的葬俗儀式。石棺床其餘壁的屏風石作對稱布局，正面六幅，左右床頭各三幅，畫面構圖密而整齊，多是胡人宴飲歌舞的場面。波士頓藝術博物館藏屏風石宴飲圖中，女子皆梳飛鳥髻，是北齊女子的時尚，圖像具有鮮明的時代特徵。

日本滋賀縣MIHO博物館陳列的石棺床，不見底座床石，衹有立在床石上的二件門闕石和十一塊屏風石。門闕也爲子母闕，闕檐下對稱浮雕四人一馬的隊列。屏風石板上浮雕的畫面共計十二幅，題材有宴飲、狩獵、出行、牛車、送葬、娱神等内容。編號F的石板，主題是送靈魂過切努特橋。畫面下方送行的行列，有人有馬；上方中央是着胡服面橋持杖司火的祭司，祭司身後，有一犬向橋，有四人面橋嫠面，哀悼送别。橋上走着兩峰駱駝。按祆教習俗，人死後靈魂要過切努特橋，善行者（asvan-）橋面寬闊平坦，惡行者（dragvant-）橋面如刀鋒髮絲，難以通過，故在祆教的告别儀式中，必于橋前舉行儀式，祭司在橋頭設火壇供物，驅駝、羊牲口獻祭神靈，以助靈魂順利踏入天堂之門。浮雕的畫面，主題情節清晰完整。J-2石板的圖像，上部刻四臂的女神像，二臂上舉日月，二臂下撫獅子座，座前有天女立蓮花座上彈奏箜篌與琵琶。這件石棺床屬于北齊的製品，畫面上有梳飛鳥髻的女子形象可爲年代標志。

美國紐約大都會博物館陳列的一件石棺床座，采用高浮雕的手法，立面雕刻有護法天神和獅子，檐上刻有整齊的裝飾紋樣，表面打磨光潔，亦是北齊的雕刻風格。床座立面所刻的護法圖像，或屬祆教的天神。山東青州博物館收集的石棺床屏風，采用綫刻畫的方式，較清楚地表現出粟特人的葬禮情節，雖然畫面上不見祆教的神祇圖像，但在多個情節上與上述的北齊石棺床相似。

近年考古出土的祆教雕刻集中在北周和隋代，墓主人的身份既有聚落政教首領薩寶，也有入華定居的胡商。2000年在西安北郊發現的安伽墓，墓主人生前曾任同州薩寶，北周大象元年（公元579年）卒葬于龍首原。墓爲長坡道單室磚墓，半圓起券的墓門額石，采用對稱式的構圖，中央爲三駝壇架式的火壇，火焰正旺，焰尖上方刻繪蓮花流雲。火壇兩側對刻戴口罩的司火祭司，人面鳥身，上方有對彈琵琶和箜篌的飛天，後有照應供器的祭司助手，動態彼此呼應。圖像既以實際的祆教祭禮爲依據，同時又賦予畫面宗教化的神聖寓意。墓室内的石棺床，裝有石刻屏風畫面十二塊，有宴飲、樂舞、狩獵、出行等情節，浮雕貼金彩繪，構圖飽滿，製作精良。

2003年，在距安伽墓百米左右的龍首原上，又發現了北周薩保墓。墓主人史君，卒葬于北周大象元年（公元579年），石築墓門，門楣刻四臂神和靈獸，門柱刻有葡萄伎樂天人紋樣，墓門乳釘之間有綫刻的蓮花飛天。墓壙内出土一具石椁（又稱石堂），面闊三間，歇山頂，四壁外墻和基座立面施刻不同題材的浮雕，是表現祆教圖像和葬禮習俗最豐富的墓葬。石椁的正面，門前的雙獅門墩石，各有一群胡兒圍抱相嬉；門兩側站立的高浮雕四臂神，肩頭刻猪頭，褲管刻象頭，脚下有地鬼承托。兩次間開直欞方窗，窗側立侍者；窗上的樂隊，四人一組，窗下司火壇的祭司，人面鳥身，繫日月冠，戴口罩，束腰帶，表現的是祆教葬禮的場景。

石椁東、西、北三面外壁分欄淺浮雕宴飲樂舞、駝運狩獵、祆主説法、靈魂過橋升天等畫面。北壁的畫面以宫殿宴飲爲中心，大體取對稱的形式鋪排宴飲、出行、駝運等情節。北壁緊東頭的畫面分上下二層，由雲氣加以分割，上層刻山洞中一老者爲兔子説法；雲氣之下是天使接引渡河的一對男女。緊接東壁的三幅畫面，都由橋來連通，是人死魂歸天國的過橋圖。在構圖上方的山巒雲氣之上，是周身光環騎牛的密斯拉神（Mithra，一譯密特拉），脅侍兩旁的助神和下方戴冠持花果供物的五位天使，他們協助密斯拉審判亡靈。下方的切努特橋上，正過着獻祭的馬、牛、羊、駝隊，走在隊伍最前頭的是男女墓主人和鞍韉齊備的坐騎。隊伍之上，有流雲翼馬與蓮花托舉的人物，表現的是墓主靈魂升天的旅程。畫面連環相屬，生動地再現了祆教生死觀念主導下的升天行程。

在入華粟特人主要聚居的北方地區，周隋之際祆教圖像的墓葬在甘肅天水、山西太原和河南登封都有新發現。太原王郭村出土的虞弘墓石椁，浮雕屏風畫面相對簡化，圖像具有較明顯的薩珊波斯風格。墓主人虞弘在北周時任職“檢校薩寶府”，曾出使過波斯，卒葬于隋開皇十二年（公元592年）。從屏風上宴飲、狩獵、出行等雕刻，可以看到由周入隋在題材風格上發生的演變。天水石馬坪出土的隋代石棺床，屏風上多見中國宫殿式的建築，宴飲、送别、出行等情節都刻于建築之中，圖像發生了較大變化，也更加貼近漢民族的造型。法國巴黎吉美美術館近年購藏有一件石棺床，形制與天水石棺床相近，石刻屏風上雕刻的題材類似于安伽墓而構圖略顯鬆散，也屬于帶有祆教因素和中亞習俗的葬具。洛陽登封告城鎮發現的安備墓，漢白玉石棺床以浮雕、透雕和貼金彩繪相結合，正立面浮雕彩繪火壇祭祀、胡人樂舞、護法神等圖像，壺門透雕二蹲獅，風格洗練簡潔，近似虞弘墓雕刻風格。安備是入居中原的第三代安國移民，以經商爲業，卒葬于隋開皇九年（公元589年）。祭祀場面中人面鳥身戴口罩的司火壇祭司形象多見于北朝後期的墓葬雕刻中，而交龍柱式的火壇造型則是隋朝的新樣。

景教（早期基督教聶斯脱利派）在唐時隨波斯商胡進入中國，有大秦國主教阿羅本帶來經像，長安專建有波斯寺供其傳教。西安碑林博物館藏的《大秦景教流行中國碑》和敦煌藏經洞所出的《大秦景教三威蒙度贊》可爲見證。早期景教的雕像已難尋踪影，現存的遺迹主要是元以後再度來華傳教的天主教徒的墓碑與刻石，北京、内蒙古和福建泉州是保留雕刻品相對集中的地區。

摩尼教，舊稱明教，三世紀由摩尼創立于伊朗，曾受到薩珊波斯王朝的禮敬和保護。六世紀前後傳入新疆地區，唐時長安已建有摩尼教大雲光明寺。興起于漠北的回紇人曾奉摩尼教爲國教。吐魯番發現的回紇文摩尼教殘經和柏孜克里克石窟摩尼教壁畫中，可以看到摩尼教曾經有過的興旺。摩尼教留下的雕塑是宋元以後該教潛入民間時的遺存，福建泉州博物館保存的摩尼像是其中的代表。

福建泉州等古代開放的商業港口，元代以來形成入華商人的聚落，供奉各自民族信仰的神靈偶像。泉州和晋江等地還發現了元代印度教的雕刻，圖像具有明顯的印度風格，屬于入華印度教徒留下的遺迹。

六、藏傳佛教藝術的興起與傳播

佛教藝術傳入西藏高原，始于吐蕃贊普松贊干布（公元593-650年）時期。尼泊爾尺尊公主入藏，帶來了不動佛（釋迦八歲等身像）、慈氏法輪、栴檀度母等造像。松贊干布又曾先後遣使印度、尼泊爾迎請蛇心栴檀觀音像、秘密化身佛像，印度波羅風格的佛像得以在西藏落户。唐朝文成公主入藏，帶來了覺卧佛像（釋迦十二歲等身像）、佛經和營造工巧著作，漢藏文化交流自此頻繁起來。松贊干布先後建造了布達拉宫、大昭寺、小昭寺和十二鎮魔寺，請來漢地和尼泊爾的匠師，雕造佛、菩薩像，從此開始了藏地佛教傳播的歷史。公元九世紀初赤松德贊（可黎可足，公元815-841年在位）建立噶迴神殿，立《興佛盟書誓文碑》，碑文中述歷代贊普興佛事迹，稱："神聖贊普先祖赤松贊（松贊干布）之世，始行國覺正法，建邏娑大昭寺諸神殿，立三寶之所依處。祖赤都松（都松波結）之世，于林之赤孜諸處建神殿，立三寶之所依處。祖赤德祖贊之世，于扎瑪建瓜州寺、于琛浦建神殿等，立三寶之所依處。父王赤松德贊之世于扎瑪建桑耶等寺，　　神聖贊普赤松德贊之世，亦建噶迴神殿等，立三寶之所依處。祖輩以還，如此敬信。”這一記載説明歷代贊普都有建寺造像的活動。《西藏王臣記》、《巴協》、《賢者喜宴》等書都收録有當時佛寺中造像的題材和像設格局。大昭寺、小昭寺、桑耶寺、文成公主廟等至今仍供設着與吐蕃佛教傳承有關的佛像和贊普像。如建于八世紀中葉的桑耶寺，是藏地第一個剃度僧人的寺院，據記載，當時中心大殿烏孜殿，上下三層分别依印式、漢式、藏式建造，各處的像設：中央效須彌山山王形，以大首頂地基置之。阿利耶巴洛洲，主尊爲聖觀世音，右爲救度母，左爲具光母。再右爲六字大明，左爲馬頭金剛。主眷共五尊。大首頂下殿，主尊爲自黑寶山迎來之石像，右爲慈氏、觀世音、地藏、喜吉祥、三界尊勝忿怒明王，左爲普賢、金剛手、文殊、除障、無垢居士、不動忿怒明王。主眷共十三尊，依西藏法造之。中殿，主尊爲大日如來，右爲燃燈，左爲慈氏，前爲釋迦牟尼、藥王、無量光。脅侍左右的爲八大菩薩、無垢居士、喜吉祥菩薩、忿怒尊，依支那法建造之。上殿主尊爲大日如來，每一面有二眷屬八菩薩。另有菩提薩埵、金剛幢等十方佛、菩薩和不動明王像，依印度法建造之。殿頂以錦緞綉花紋，四角喜吉祥佛，有菩薩眷屬圍繞。桑耶寺當時的佛像供設情况説明，從松贊干布到赤松德贊的百年間，西藏地區已從引進佛像發展到藏系佛像的初成階段。

可黎可足贊普之後，藏地經歷朗達瑪禁佛，寺院被毁，僧侣散盡。幸有吉祥流泉山（今曲水縣雅魯藏布江南岸）静坐的三名僧人藏饒賽、約格瓊、瑪釋迦牟尼，帶上佛經，逃到青海多康地區，傳教授徒，得以把吐蕃佛法延續下來。西藏進入封建分治時期之後，佛教在人口比較集中、經濟比較發達的河谷農業區逐漸得到復興，王室後裔永丹第六世孫意希堅寶派遣魯麥・喜饒楚臣等十人去多康學佛，先後在衛、藏建立起佛教寺院，傳戒授徒。佛教與本教的長期較量、吸收、融合，使西藏佛教本土化。分治時期的佛教造像在西藏博物館還有作品保存。

進入後弘期的藏傳佛教得以全面繁榮，藏區各地因其教義和修持體系的傳承，次第形成教派争長的興旺局面，尤其在元、明、清帝王的支持和提倡下，藏傳佛教不僅在西藏、青海、甘肅、四川、雲南等藏族居住的地區影響加劇，而且遠播于喜馬拉雅周邊國家、蒙古地區和漢地，成爲中國佛教重要的一支。

藏傳佛教大型雕刻在西藏本土和漢地都有保存，藝術水準最高的是皇家寺院供奉的佛像和中心大寺的佛像。北京八達嶺長城居庸關過街塔建于元至正五年（公元1345年），現存雲臺内壁的四大天王像體量高大，雕刻綫面結合，具有漢藏藝術結合的特徵。雍和宫在乾隆九年（公元1744年）改爲喇嘛廟，萬福閣彌勒立像用整株尼泊爾檀香木雕刻而成，高達18米，是現存木雕佛像中的精品。承德普寧寺大乘之閣内的千手千眼觀世音菩薩像，用松柏等五種木材雕成，通高22.23米，彩繪泥金，造型雄偉。西藏日喀則扎什倫布寺强巴佛殿鍍金强巴佛像爲九世班禪于公元1904年主持建造，高達26.70米，是清代後期的巨製。這些供設于寺院的大像，形體偉岸，彩繪裝飾華麗，局部還鑲嵌多種貴重材料，製作工藝精湛。

藏傳金銅佛像傳世作品最爲豐富，工藝分鑄銅和鍛銅兩類。西藏本土的金銅佛曾先後接受來自尼泊爾、克什米爾佛像的樣式和製作工藝。受尼泊爾的影響，佛和菩薩像多以紅銅爲體，表面鍍金或鑲嵌珠寶。菩薩造型取寬肩細腰，上身袒露，突出身體扭曲的動感。克什米爾樣式的佛像，多黄銅鑄造，身材秀長，薄衣貼體，注重華麗的裝飾。菩薩造型身軀微扭，圓臉高髻，五官仍有南亞人特徵，帶有明顯的印度波羅風格的造型因素。西藏博物館、北京故宫、臺北故宫都有實物保存，可爲比較同期的尼泊爾、克什米爾等地佛像的實物參照。十四世紀以後，金銅佛像漸漸形成西藏本土的面貌，題材内容、造型風格趨于統一。佛、菩薩、度母、護法神及祖師像的製作，依據共同的儀則標準，造型動感明顯，表情誇張，一些護法憤怒神像和秘密壇像，兼容吸收本教的造型，寓神聖莊嚴于怖畏震懾之中。在海内外的收藏品中，可以看到以毗盧遮那佛和八大菩薩爲主體，各種度母、金剛護法爲輔助的藏傳系譜佛像的基本特徵。

内地造像以元、明、清宫廷製作爲範式，北京、蒙古等地民間皆效仿風從，佛像兼有漢藏特點。元朝皇室崇信藏傳佛教，以薩迦派僧人八思巴爲國師。宫内專設梵像提舉司總領佛像的繪塑鑄刻，長期主持宫廷繪塑的尼泊爾工匠阿尼哥，以其卓越技藝受到朝廷重用，尼泊爾的金工技藝、造像風格因此傳播于京城和内地。《元代畫塑記》中詳載大德九年（公元1305年）阿尼哥主持鑄像的用料清單，得知金銅佛像是用失蠟法精鑄而成。故宫收藏的至元二年（公元1265年）青銅鑄釋迦佛和大德九年銅鍍金文殊菩薩，是兩尊有準確紀年的造像，可據此了解阿尼哥所傳西天梵相的工藝特點。

明代對西藏采取懷柔政策，給西藏宗教領袖封授法王、國師等名號，藏僧頻繁入貢，朝廷厚予賞賜，宫内御用監設佛作專領佛像的製作。永樂、宣德朝時製作了不少鍍金銅像施予西藏宗教領袖，宣德之後仍有製造，而以永、宣造像數量最多，質量也最高。據粗略統計，國内外現存永、宣金銅佛像約有四百尊左右，北京故宫博物院、首都博物館、西藏博物館藏品刻有“大明永樂年施”、“大明宣德年施”的造像概出自宫廷御用監。這些造像一方面嚴格按照西藏法像的圖樣儀軌，另一方面又兼備漢民族造像的審美規範，形成方正端嚴、精細華美的時代審美特色。

清代藏傳金銅佛像以宮廷造像爲主體，造型和工藝皆有儀則，同時兼顧漢、藏、滿、蒙的審美習俗。康熙三十六年（公元1697年）宮廷正式設立中正殿念經處，專管佛事，辦造佛像，但造像的數量不大。北京故宮藏黃銅鍍金四臂觀音，高73厘米，按蓮座下緣漢滿蒙藏四種文字的銘文，知是康熙爲其祖母祈福所造，是迄今爲止所見的極少紀年明確的清初宮廷造像，相式在基本保持永宣造像的特點上，增加了細節上的變化和用料的華貴程度。乾隆時期由于皇帝對藏傳佛教的興趣，宮內開始興建佛堂，宮廷的佛像製作數量劇增。按清宮檔案的記載，宮中造像，先由中正殿畫佛喇嘛按皇帝旨意畫出紙樣，再做蠟樣，然後經皇帝看過後交造辦處鑄造。乾隆皇帝還專門邀約章嘉、土觀、阿旺班珠爾等駐京大喇嘛共同審看，有一些佛樣還邀他們親手繪製。如三世章嘉通曉繪塑，是宮廷造像的主要顧問，乾隆對他依靠較多，在他圓寂時，乾隆特爲他造銀間鍍金寫實銀像供在佛堂中，以示紀念。進入乾隆宮廷的工匠中，還有來自尼泊爾、藏族的工匠參與造像，他們經手製作了大量顯密造像。現藏故宮、雍和宮、承德避暑山莊等皇家宮苑的金銅佛像、度母像、金剛像，精品皆出自宮中不同民族和國籍的能工巧匠之手。

乾隆皇帝憑借朝廷的雄厚財力，召請深通造像的大喇嘛指導造像，募集漢藏等各族工匠精心製作，由此形成了清朝佛像的基本風格範式，帶動了全國佛教造像的風氣，成就了藏傳佛教造像上的又一個高峰。

羅世平

目　録

新石器時代（公元前八〇〇〇年至公元前二〇〇〇年）

夏至戰國（公元前二十一世紀至公元前二二一年）

頁碼	名稱	時代	發現地	收藏地
15	綠松石蛇形器	夏	河南偃師市二里頭墓葬	中國社會科學院考古研究所
15	銅雙面人頭像	商	江西新干縣大洋洲	江西省博物館
16	銅人形面具	商	陝西城固縣寶山鎮蘇村	陝西省城固縣文化館
16	銅獸形面具	商	陝西城固縣寶山鎮蘇村	陝西省城固縣文化館
17	銅立人像	商	四川廣漢市三星堆 2 號祭祀坑	四川博物院
17	銅人頭像	商	四川廣漢市三星堆 2 號祭祀坑	四川省文物考古研究所
18	金面罩銅人頭像	商	四川廣漢市三星堆 2 號祭祀坑	四川省文物考古研究所
18	銅人頭像	商	四川廣漢市三星堆 2 號祭祀坑	四川省文物考古研究所
19	銅突目面具	商	四川廣漢市三星堆 2 號祭祀坑	四川省文物考古研究所
20	銅突目面具	商	四川廣漢市三星堆 2 號祭祀坑	四川省文物考古研究所
21	銅人面具	商	四川廣漢市三星堆 2 號祭祀坑	四川省文物考古研究所
21	銅獸面具	商	四川廣漢市三星堆 2 號祭祀坑	四川省文物考古研究所
22	銅神樹	商	四川廣漢市三星坑 2 號祭祀坑	四川省文物考古研究所
23	銅人首鳥身像	商	四川廣漢市三星堆 2 號祭祀坑	四川省文物考古研究所
23	銅立鳥	商	四川廣漢市三星堆 2 號祭祀坑	四川省文物考古研究所
24	銅鳥頭	商	四川廣漢市三星堆 2 號祭祀坑	四川省文物考古研究所
24	銅公鷄	商	四川廣漢市三星堆 2 號祭祀坑	四川省文物考古研究所
25	石虎	商－西周	四川成都市金沙村	四川省成都市文物考古研究所
25	石蛇	商－西周	四川成都市金沙村	四川省成都市文物考古研究所
26	銅立人像	商－西周	四川成都市金沙村	四川省成都市文物考古研究所
26	銅立人像	戰國	河南洛陽市金村	美國波士頓美術館

秦至三國（公元前二二一至公元二六五年）

頁碼	名稱	時代	發現地	收藏地
27	陶雙翼神獸	秦	陝西西安市北郊秦墓	陝西省西安市文物保護考古所
27	銅羽人像	西漢	陝西西安市漢長安城遺址	陝西省西安市文物保護考古所

頁碼	名稱	時代	發現地	收藏地
28	陶翼馬	西漢	陝西西安市灞橋區	陝西省西安市文物保護考古所
28	銅剽牛祭柱扣飾	西漢	雲南江川縣李家山	雲南省江川縣文物管理所
29	漆木人頭形祖	西漢	雲南昆明市官渡區羊甫頭	雲南省文物考古研究所
29	漆木水鳥形祖	西漢	雲南昆明市官渡區羊甫頭	雲南省文物考古研究所
30	陶座銅摇錢樹	東漢	四川綿陽市何家山2號漢墓	四川省綿陽博物館
30	陶摇錢樹座	東漢	四川彭山縣	南京博物院
31	陶摇錢樹座	東漢	四川成都市	四川省成都市博物館
31	石刻佛坐像	東漢	四川樂山市凌雲山麻浩1號崖墓	
32	銅佛像紋摇錢樹	東漢	陝西城固縣	陝西省城固縣張騫文物管理所
33	陶佛像插座	東漢	四川彭山縣	南京博物院
34	銅摇錢樹佛像	三國・蜀	重慶忠縣塗井5號崖墓	四川博物院
34	鎏金銅佛像帶飾	三國・吴	湖北武漢市武昌區蓮溪寺校尉彭盧墓	湖北省博物館
35	青瓷神仙佛像盤口壺	三國・吴	江蘇南京市雨花臺區長崗村	江蘇省南京市博物館
35	陶佛像	三國・吴	江蘇南京市趙士崗吴墓	南京博物院

兩晋十六國（公元二六五年至公元四三九年）

頁碼	名稱	時代	發現地	收藏地
36	鎏金銅菩薩立像	東晋		故宫博物院
36	綫刻佛像金板	東晋	江蘇鎮江市跑馬山東晋墓	江蘇省鎮江博物館
37	鎏金銅佛坐像	十六國・後趙		美國舊金山亞洲美術博物館
38	鎏金銅佛坐像	十六國・後秦	甘肅涇川縣玉都鄉	甘肅省博物館
39	石雕造像塔	十六國・北凉	甘肅酒泉市	甘肅省博物館
39	石雕造像塔	十六國・北凉	甘肅酒泉市專署街86號院	甘肅省酒泉市肅州區博物館
40	石雕造像塔	十六國・北凉	甘肅酒泉市	甘肅省博物館
40	鎏金銅佛坐像	十六國・夏		日本大阪市立美術館
41	鎏金銅佛坐像	十六國	河北石家莊市北宋村	河北省博物館
41	鎏金銅佛坐像	十六國		日本私人處
42	鎏金銅佛立像	十六國		日本京都國立博物館
42	鎏金銅佛坐像	十六國		美國哈佛大學福格美術館
43	鎏金銅菩薩立像	十六國	陝西三原縣	日本京都藤井有鄰館

北魏（公元三八六年至公元五三四年）

頁碼	名稱	時代	發現地	收藏地
44	石雕佛道造像碑	北魏		陝西省藥王山博物館
45	石雕佛坐像	北魏		日本大阪市立美術館
45	石雕交脚佛坐像	北魏		上海博物館
46	石雕彌勒佛坐像	北魏	陝西興平市	陝西省西安碑林博物館
48	石雕佛立像	北魏	北京海澱區車兒營村	北京石刻藝術博物館
49	石雕造像塔	北魏	甘肅酒泉市	甘肅省酒泉市肅州區博物館
49	石雕佛坐像	北魏		日本大阪市立美術館
50	石雕四面佛龕	北魏	陝西西安市長安區查家寨	陝西西安碑林博物館
52	石雕交脚彌勒菩薩像	北魏	陝西長武縣丁家鄉直谷村	陝西省長武縣博物館
52	石雕道教三尊像	北魏		日本大阪市立美術館
53	石雕佛立像	北魏	山東青州市	山東省博物館
54	石雕彌勒菩薩坐像	北魏	河南滎陽市大海寺遺址	河南博物院
55	石刻佛座禮佛圖	北魏		法國巴黎博物館
56	石雕道教像	北魏		中國國家博物館
57	彩繪石雕彌勒佛立像	北魏	山東青州市龍興寺窖藏	山東省青州博物館
58	石雕造像碑	北魏		美國波士頓美術館
58	石雕供養菩薩像	北魏	寧夏彭陽縣新集村	寧夏回族自治區固原博物館
59	石雕釋迦彌勒像	北魏	陝西	陝西省西安市文物保護考古所
59	石雕觀世音菩薩立像	北魏	河北曲陽縣修德寺遺址	故宫博物院
60	石雕造像塔	北魏	甘肅莊浪縣水洛城徐家碾	甘肅省莊浪縣博物館
62	石雕造像塔	北魏	山西沁縣南涅水村	山西省沁縣南涅水石刻館
62	石雕造像塔	北魏	山西沁縣南涅水村	山西省沁縣南涅水石刻館
63	石雕造像塔	北魏	山西沁縣南涅水村	山西省沁縣南涅水石刻館
63	石雕佛頭像	北魏	山西沁縣南涅水村	山西博物院
64	石雕造像	北魏		上海博物館
66	石雕雙龕造像碑	北魏		陝西省西安碑林博物館
67	石雕彌勒佛坐像	北魏		陝西省西安碑林博物館
68	石雕佛立像	北魏	河南淇縣城關鎮	河南博物院
69	貼金彩繪石雕佛立像	北魏	山東青州市七級寺遺址	山東省青州博物館
70	貼金彩繪石雕佛立像	北魏	山東青州市龍興寺窖藏	山東省青州博物館

頁碼	名稱	時代	發現地	收藏地
71	石造像座綫刻	北魏	河南洛陽市	河南省洛陽古代藝術館
73	陶質比丘頭像	北魏	河南洛陽市永寧寺遺址	中國社會科學院考古研究所
73	陶質梳髻頭像	北魏	河南洛陽市永寧寺遺址	中國社會科學院考古研究所
74	陶質籠冠頭像	北魏	河南洛陽市永寧寺遺址	中國社會科學院考古研究所
74	陶質武士頭像	北魏	河南洛陽市永寧寺遺址	中國社會科學院考古研究所
75	銅彌勒佛立像	北魏	寧夏西吉縣	寧夏西吉縣文物管理所
75	鎏金銅彌勒佛立像	北魏		日本東京國立博物館
76	鎏金銅彌勒三尊像	北魏		美國舊金山亞洲藝術博物館
76	鎏金銅釋迦佛立像	北魏	河北滿城縣孟村	河北省博物館
77	鎏金銅佛坐像	北魏		日本私人處
78	鎏金銅佛立像	北魏		美國紐約大都會博物館
79	銅觀世音菩薩立像	北魏	河北平泉縣	河北省博物館
80	鎏金銅釋迦多寶并坐像	北魏		日本根津美術館
81	鎏金銅彌勒佛立像	北魏		日本京都泉屋博古館
82	銅二佛并坐像	北魏	山東博興縣龍華寺遺址	山東省博興縣文物管理所
82	銅觀世音菩薩立像	北魏	山東博興縣	山東省博興縣文物管理所
83	鎏金銅觀世音菩薩立像	北魏		上海博物館
83	鎏金銅觀世音菩薩立像	北魏		日本私人處
84	鎏金銅二佛并坐像	北魏		法國巴黎吉美美術館
85	鎏金銅彌勒菩薩像	北魏		日本大阪市藤田美術館
86	鎏金銅觀世音菩薩立像	北魏		上海博物館
86	銅菩薩立像	北魏		河北省博物館
87	鎏金銅彌勒佛立像	北魏	河北正定縣	美國紐約大都會博物館
88	鎏金銅佛坐像	北魏	北京延慶縣宗家營	首都博物館
89	鎏金銅佛立像	北魏		上海博物館
89	鎏金銅二佛并坐像	北魏	河北靈壽縣三聖院村	河北省正定縣文物保管所

東魏西魏（公元五三四年至公元五五六年）

頁碼	名稱	時代	發現地	收藏地
90	石雕造像碑	東魏	河南鄭州市二中	河南博物院
91	石雕彌勒佛立像	東魏		日本京都市藤井有鄰館

頁碼	名稱	時代	發現地	收藏地
92	石雕佛立像	東魏	山東博興縣丈八佛村原興國寺遺址	
93	石雕佛坐像	東魏		日本大阪市立美術館
93	石雕思惟菩薩像	東魏	河北曲陽縣修德寺遺址	故宫博物院
94	石雕造像碑	東魏	河南新鄉縣梁村	河南博物院
96	石雕菩薩立像	東魏	河北曲陽縣修德寺遺址	故宫博物院
96	石雕釋迦佛坐像	東魏	山西太原市華塔村	山西博物院
97	石雕二佛并坐像	東魏	河北曲陽縣修德寺遺址	故宫博物院
97	石雕觀世音菩薩立像	東魏	河北曲陽縣修德寺遺址	河北省博物館
98	石雕阿彌陀佛立像	東魏	河北景縣	河北省博物館
99	貼金彩繪石雕佛立像	東魏	山東青州市龍興寺窖藏	山東省青州博物館
100	貼金彩繪石雕佛立像	東魏	山東青州市龍興寺窖藏	山東省青州博物館
101	貼金彩繪石雕佛立像	東魏	山東青州市龍興寺窖藏	山東省青州博物館
101	貼金石雕佛頭像	東魏	山東青州市龍興寺窖藏	山東省青州博物館
102	石雕佛坐像	東魏	山西平遥縣顯慶寺故址	上海博物館
102	石雕佛立像	東魏	山西平遥縣顯慶寺故址	上海博物館
103	石雕佛立像	東魏		上海博物館
104	石雕佛立像	東魏		日本東京國立博物館
105	彩繪石雕菩薩立像	東魏	河北定州市城東	河北省定州市博物館
106	石雕菩薩立像	東魏	河北蠡縣	河北省定州市博物館
106	石雕菩薩立像	東魏	河北蠡縣	河北省定州市博物館
107	貼金彩繪石雕菩薩立像	東魏	山東青州市龍興寺窖藏	山東省青州博物館
108	彩繪石雕菩薩立像	東魏	山東青州市龍興寺窖藏	山東省青州博物館
109	彩繪石雕菩薩像	東魏	山東青州市龍興寺窖藏	山東省青州博物館
110	貼金彩繪石雕菩薩立像	東魏	山東青州市龍興寺窖藏	山東省青州博物館
110	貼金彩繪石雕菩薩立像	東魏	山東青州市龍興寺窖藏	山東省青州博物館
111	石雕菩薩立像	東魏	山西榆社縣福祥寺	山西省榆社縣博物館
111	石雕菩薩像	東魏	河南洛陽市白馬寺	美國波士頓美術館
112	石雕菩薩立像	東魏		北京保利藝術博物館
113	石雕交脚彌勒菩薩龕像	東魏		日本大阪市立美術館
114	鎏金銅彌勒佛立像	東魏		美國賓西法尼亞大學博物館
115	鎏金銅觀世音菩薩像	東魏		故宫博物院
115	鎏金銅觀世音菩薩立像	東魏	山西壽陽縣	山西省壽陽縣文物管理所
116	鎏金銅佛立像	東魏	陝西西安市未央區六村堡大劉莊	陝西歷史博物館
117	陶彩繪巫師俑	東魏	河北磁縣大冢營村茹茹公主墓	河北省邯鄲市博物館

頁碼	名稱	時代	發現地	收藏地
117	石雕佛坐像	西魏		日本大阪市立美術館
118	石雕彩繪佛坐像	西魏		美國私人處
119	石雕佛坐像	西魏		上海博物館

北齊北周（公元五五〇年至公元五八一年）

頁碼	名稱	時代	發現地	收藏地
120	石雕菩薩立像	北齊	山西	日本東京國立博物館
120	石雕彌勒佛倚坐像	北齊		日本岡山縣大原美術館
121	石雕思惟太子像	北齊		上海博物館
122	石雕菩薩像	北齊	山東諸城市	山東省諸城市博物館
122	石雕佛坐像	北齊	河北曲陽縣修德寺遺址	河北省博物館
123	石雕彌勒佛像	北齊		日本大阪市立美術館
124	石雕造像碑	北齊	河南襄城縣孫莊	河南博物院
125	描金彩繪石雕雙彌勒佛坐像	北齊	河北藁城市北賈同村	河北省正定縣文物保管所
126	石雕造像碑	北齊	安徽亳州市咸平寺舊址	安徽省博物館
127	石雕雙思惟菩薩坐像	北齊	河北藁城市	河北省正定縣文物保管所
128	描金彩繪石雕菩薩立像	北齊	河北藁城市北賈同村	河北省正定縣文物保管所
128	石雕佛坐像	北齊	河北曲陽縣修德寺遺址	河北省博物館
129	貼金彩繪石雕佛立像	北齊	山東青州市龍興寺窖藏	山東省青州博物館
129	貼金彩繪石雕佛立像	北齊	山東青州市龍興寺窖藏	山東省青州博物館
130	貼金彩繪石雕佛立像	北齊	山東青州市龍興寺窖藏	山東省青州博物館
130	貼金彩繪石雕佛坐像	北齊	山東青州市龍興寺窖藏	山東省青州博物館
131	彩繪石雕盧舍那佛立像	北齊	山東青州市龍興寺窖藏	山東省青州博物館
132	貼金彩繪石雕佛坐像	北齊	山西太原市華塔村	山西博物院
133	石雕佛坐像	北齊	河北臨漳縣習文鄉太平渠	河北省文物研究所
134	石雕佛立像	北齊	河北	日本根津美術館
135	石雕佛坐像	北齊		上海博物館
136	石雕佛立像	北齊		上海博物館
137	石雕佛立像	北齊		北京保利藝術博物館
138	石雕造像碑	北齊		上海博物館
139	石雕彩繪佛坐像	北齊		日本根津美術館

頁碼	名稱	時代	發現地	收藏地
139	貼金彩繪石雕螺髻比丘立像	北齊	山東博興縣龍華寺遺址	山東省博物館
140	石雕交脚菩薩坐像	北齊	河北臨漳縣習文鄉太平渠	河北省文物研究所
142	石雕雙思惟菩薩像	北齊	河北曲陽縣修德寺遺址	河北省博物館
142	石雕思惟菩薩像	北齊	河北曲陽縣修德寺遺址	故宫博物院
143	石雕菩薩立像	北齊	河北曲陽縣修德寺遺址	河北省博物館
144	彩繪石雕供養菩薩像	北齊	河北定州市	北京保利藝術博物館
144	石雕觀世音菩薩立像	北齊	山西太原市華塔村	山西博物院
145	石雕菩薩立像	北齊	山西沁縣南涅水村	山西博物院
145	彩繪石雕菩薩立像	北齊	山東臨朐縣	山東省臨朐縣博物館
146	貼金彩繪石雕菩薩立像	北齊	山東青州市龍興寺窖藏	山東省青州博物館
146	貼金彩繪石雕思惟菩薩像	北齊	山東青州市龍興寺窖藏	山東省青州博物館
147	貼金彩繪石雕菩薩立像	北齊	山東諸城市	山東省諸城市博物館
147	貼金彩繪石雕菩薩立像	北齊	山東諸城市	山東省諸城市博物館
148	鎏金銅觀世音菩薩像	北齊		上海博物館
148	鎏金銅菩薩立像	北齊	山東博興縣龍華寺遺址	山東省博興縣文物保管所
149	鎏金銅佛立像	北齊		美國哈佛大學美術館
149	鎏金銅菩薩立像	北齊		上海博物館
150	鎏金銅菩薩立像	北齊	山東濰坊市	山東省博物館
150	模印彩繪瓷菩薩像	北齊	山東博興縣張官村	山東省博興縣文物管理所
151	石浮雕喪儀圖	北齊		日本滋賀縣MIHO博物館
152	石浮雕四臂女神	北齊		日本滋賀縣MIHO博物館
152	石浮雕祭祀隊列	北齊	河南安陽市	法國巴黎吉美美術館
153	石雕佛像	北周		上海博物館
154	石雕造像碑	北周	山西運城市	山西博物院
155	石雕觀世音菩薩立像	北周		日本大阪市立美術館
155	石雕釋迦千佛造像碑	北周	河南洛寧縣	河南博物院
156	石雕造像碑	北周	甘肅張家川回族自治縣木河鄉	甘肅省博物館
157	石雕釋迦佛立像	北周		上海博物館
158	石雕佛立像	北周	陝西西安市灞橋區灣子村	陝西省西安碑林博物館
159	石雕佛立像	北周	陝西西安市灞橋區灣子村	陝西省西安碑林博物館
159	彩繪石雕佛立像	北周	陝西西安市二府莊	陝西省西安博物院
160	石雕佛立像	北周	陝西西安市六村堡	陝西省西安博物院
160	石雕佛頭	北周	陝西西安市	陝西省西安碑林博物館
161	石雕佛坐像	北周	陝西西安市	陝西省西安碑林博物館

頁碼	名稱	時代	發現地	收藏地
162	石雕佛龕造像碑	北周	陝西西安市北草灘	陝西省西安博物院
163	石雕佛龕造像碑	北周	陝西西安市北草灘	陝西省西安博物院
163	石雕佛龕造像碑	北周	陝西西安市北草灘	陝西省西安博物院
164	貼金石雕觀世音菩薩立像	北周	陝西西安市漢城鄉西查村	陝西省西安博物院
164	貼金石雕觀世音菩薩立像	北周	陝西西安市漢城鄉西查村	陝西省西安博物院
165	鎏金銅佛立像	北周	陝西西安市	陝西省西安市文物保護考古所
165	鎏金銅菩薩立像	北周		日本東京藝術大學美術館
166	石浮雕祭壇圖	北周	陝西西安市未央區大明宮鄉炕底寨村安伽墓	
168	石浮雕度亡靈圖	北周	陝西西安市未央區大明宮鄉井上村史君墓	陝西省西安市文物保護考古所
169	石浮雕祭司	北周	陝西西安市未央區大明宮鄉井上村史君墓	

南朝（公元四二〇年至公元五八九年）

頁碼	名稱	時代	發現地	收藏地
170	鎏金銅佛坐像	南朝・宋		日本東京永青文庫
171	鎏金銅佛坐像	南朝・宋		美國華盛頓弗利爾美術館
171	彩繪貼金石雕佛坐像	南朝・齊	四川成都市商業街	四川省成都市文物考古研究所
172	石雕造像碑	南朝・齊	四川茂縣	四川博物院
173	彩繪貼金石雕彌勒佛坐像	南朝・齊	四川成都市西安路	四川省成都市文物考古研究所
174	石雕釋迦佛立像	南朝・梁	四川成都市萬佛寺遺址	四川博物院
176	彩繪貼金石雕釋迦佛立像	南朝・梁	四川成都市西安路	四川省成都市文物考古研究所
178	石雕釋迦佛立像	南朝・梁	四川成都市萬佛寺遺址	四川博物院
178	石雕佛立像	南朝・梁	四川成都市萬佛寺遺址	四川博物院
179	彩繪貼金石雕釋迦多寶像	南朝・梁	四川成都市西安路	四川省成都市文物考古研究所
180	漆金石雕佛坐像	南朝・梁		上海博物館
181	石雕觀世音菩薩立像	南朝・梁	四川成都市萬佛寺遺址	四川博物院
182	石雕阿育王像	南朝・梁	四川成都市西安路	四川省成都市文物考古研究所
183	鎏金銅佛坐像	南朝・梁		上海博物館
183	鎏金銅觀世音菩薩立像	南朝・陳		日本東京藝術大學藝術館
184	石雕佛坐像	南朝	四川成都市萬佛寺遺址	四川博物院

頁碼	名稱	時代	發現地	收藏地
185	石雕佛立像	南朝	四川成都市商業街	四川省成都市文物考古研究所
186	石雕二菩薩立像	南朝	四川成都市萬佛寺遺址	四川博物院
188	石雕阿育王頭像	南朝	四川成都市萬佛寺遺址	四川博物院
188	石雕阿育王立像	南朝	四川成都市萬佛寺遺址	四川博物院
189	石雕天王像	南朝	四川成都市萬佛寺遺址	中國國家博物館
189	彩繪石雕維摩詰像	南朝	四川成都市西安路	四川省成都市文物考古研究所
190	石浮雕須彌山圖	南朝	四川成都市萬佛寺遺址	四川博物院

隋（公元五八一年至公元六一八年）

頁碼	名稱	時代	發現地	收藏地
192	彩繪石雕造像碑	隋	甘肅涇川縣水泉寺	甘肅省博物館
193	石雕釋迦佛坐像	隋		河南博物院
194	彩繪石雕道教像	隋	陝西彬縣	陝西省西安碑林博物館
194	石雕釋迦佛立像	隋		日本大阪市立美術館
195	石雕佛立像	隋		英國倫敦大英博物館
195	石雕觀音菩薩立像	隋		日本東京國立博物館
196	石雕彌陀佛立像	隋	河北曲陽縣修德寺遺址	故宮博物院
196	石雕觀世音菩薩立像	隋		上海博物館
197	石雕雙思惟菩薩像	隋	河北曲陽縣修德寺遺址	故宮博物院
197	石雕造像碑	隋		上海博物館
198	石雕佛坐像	隋	河北曲陽縣修德寺遺址	故宮博物院
198	石雕佛坐像	隋		故宮博物院
199	石雕觀世音菩薩像	隋	陝西西安市隋正覺寺遺址	陝西省西安博物院
199	石雕菩薩立像	隋	陝西潼關縣老虎村	陝西省西安碑林博物館
200	貼金石雕彌勒菩薩像	隋	陝西西安市塔坡清凉寺	陝西省西安碑林博物館
200	石雕菩薩立像	隋	陝西藍田縣ض村	陝西省西安碑林博物館
201	石雕觀世音菩薩立像	隋	甘肅秦安縣	甘肅省博物館
201	石雕觀世音菩薩立像	隋		美國賓西法尼亞大學博物館
202	石雕觀世音菩薩立像	隋	陝西西安市某古寺	美國波士頓美術館
203	鎏金銅阿彌陀佛坐像	隋	陝西西安市八里村	陝西省西安博物院
204	鎏金銅雙身佛立像	隋		遼寧省旅順博物館

頁碼	名稱	時代	發現地	收藏地
204	鎏金銅觀世音菩薩立像	隋	河北靈壽縣玆峪村	河北省正定縣文物保管所
205	鎏金銅佛坐像	隋	河北趙縣	美國波士頓美術館
206	鎏金銅佛立像	隋		美國華盛頓弗利爾美術館
207	銅佛坐像	隋		上海博物館
209	鎏金銅二佛并坐像	隋	河北唐縣北伏城	河北省博物館
209	鎏金銅佛坐像	隋		上海博物館
210	石浮雕密斯拉神	隋	山西太原市晋源區王郭村虞弘墓	山西省考古研究所
211	石浮雕祭壇	隋	山西太原市晋源區王郭村虞弘墓	山西省考古研究所
211	石浮雕吹角者	隋	山西太原市晋源區王郭村虞弘墓	山西省考古研究所

唐（公元六一八年至公元九〇七年）

頁碼	名稱	時代	發現地	收藏地
212	彩繪泥塑釋迦牟尼佛像	唐	山西五臺縣南禪寺	
213	彩繪泥塑承座力士	唐	山西五臺縣南禪寺	
214	彩繪泥塑供養菩薩像	唐	山西五臺縣南禪寺	
214	彩繪泥塑供養菩薩像	唐	山西五臺縣南禪寺	
215	彩繪泥塑乂殊菩薩像	唐	山西五臺縣南禪寺	
216	彩繪泥塑普賢菩薩像	唐	山西五臺縣南禪寺	
217	彩繪泥塑撩蠻像	唐	山西五臺縣南禪寺	
217	彩繪泥塑童子像	唐	山西五臺縣南禪寺	
218	彩繪泥塑弟子菩薩立像	唐	山西五臺縣南禪寺	
219	彩繪泥塑弟子像	唐	山西五臺縣南禪寺	
219	彩繪泥塑菩薩立像	唐	山西五臺縣南禪寺	
220	彩繪泥塑天王立像	唐	山西五臺縣南禪寺	
221	彩繪泥塑菩薩天王立像	唐	山西五臺縣南禪寺	
222	彩繪泥塑釋迦牟尼佛群像	唐	山西五臺縣佛光寺	
223	彩繪泥塑脅侍菩薩像	唐	山西五臺縣佛光寺	
223	彩繪泥塑脅侍菩薩像	唐	山西五臺縣佛光寺	
224	彩繪泥塑供養菩薩像	唐	山西五臺縣佛光寺	
224	彩繪泥塑供養菩薩像	唐	山西五臺縣佛光寺	
225	彩繪泥塑阿彌陀佛像	唐	山西五臺縣佛光寺	

頁碼	名稱	時代	發現地	收藏地
226	彩繪泥塑脅侍菩薩像	唐	山西五臺縣佛光寺	
227	彩繪泥塑脅侍菩薩像	唐	山西五臺縣佛光寺	
228	彩繪泥塑供養菩薩像	唐	山西五臺縣佛光寺	
229	彩繪泥塑普賢菩薩像	唐	山西五臺縣佛光寺	
230	彩繪泥塑文殊菩薩像	唐	山西五臺縣佛光寺	
231	彩繪泥塑天王像	唐	山西五臺縣佛光寺	
232	彩繪泥塑五尊像	唐	山西晋城市古青蓮寺	
233	彩繪泥塑釋迦牟尼佛像	唐	山西晋城市古青蓮寺	
234	彩繪泥塑菩薩和弟子像	唐	山西晋城市古青蓮寺	
235	彩繪泥塑天王像	唐	山西晋城市古青蓮寺	
236	石雕佛坐像	唐	陝西西安市	日本京都藤井有鄰館
237	石雕阿彌陀佛坐像	唐	山東茌平縣	山東省聊城市博物館
238	石雕造像碑	唐	山西萬榮縣佛寺	山西博物院
239	彩繪石雕釋迦佛坐像	唐	山西芮城縣風陵渡東章村	山西省芮城縣博物館
240	石雕佛坐像	唐	陝西西安市寶慶寺	日本東京國立博物館
241	石雕造像碑	唐	河南偃師市寇店鄉	河南偃師商城博物館
241	石雕佛造像	唐		陝西省西安碑林博物館
242	石雕天尊坐像	唐	山西運城市安邑中陳鄉	山西博物院
243	石雕阿彌陀佛坐像	唐	山西夏縣	山西博物院
244	石雕佛立像	唐	山西萬榮縣	山西博物院
244	石雕佛坐像	唐	河北曲陽縣修德寺遺址	故宫博物院
245	石雕彌勒佛像	唐	山西稷山縣	山西博物院
246	石雕釋迦坐像	唐	山西五臺縣佛光寺	山西省五臺縣佛光寺東大殿
247	石雕藥師佛坐像	唐	陝西麟游縣九成宫鎮太平寺遺址	陝西省麟游縣博物館
247	石雕佛立像	唐	陝西禮泉縣	陝西省西安碑林博物館
248	貼金彩繪石雕佛立像	唐	陝西西安市禮泉寺遺址	陝西省西安博物院
248	石雕佛立像	唐	陝西西安市南郊沙浮沱村	陝西省西安碑林博物館
249	石雕佛立像	唐	陝西西安市	陝西省西安碑林博物館
249	石雕釋迦降外道像	唐	陝西	陝西省西安碑林博物館
250	石雕佛坐像	唐	陝西西安市寶慶寺	日本東京國立博物館
251	石雕佛坐像	唐	河南鄭州市北岡	河南省鄭州市博物館
251	石雕佛坐像	唐	河北邯鄲市北響堂山常樂寺遺址	河北省邯鄲市峰峰文物管理所
252	石雕佛坐像	唐		日本東京永青文庫
253	石雕佛坐像	唐	四川成都市萬佛寺遺址	四川博物院

頁碼	名稱	時代	發現地	收藏地
253	石雕迦葉立像	唐	河北邯鄲市北響堂山常樂寺遺址	河北省邯鄲市峰峰文物管理所
254	石雕弟子立像	唐	山西五臺縣佛光寺塔	山西省五臺縣佛光寺東大殿
255	石雕觀世音菩薩坐像	唐	陝西西安市東關景龍池遺址	陝西省西安碑林博物館
256	石雕十一面觀音像	唐	陝西西安市寶慶寺	日本東京國立博物館
256	石雕菩薩立像	唐	陝西西安市火車站	陝西省西安碑林博物館
257	石雕雙菩薩立像	唐	陝西	陝西省西安碑林博物館
257	石雕菩薩立像	唐	陝西西安市西關王家巷	陝西省西安碑林博物館
258	石雕虛空藏菩薩坐像	唐	陝西西安市唐安國寺遺址	陝西省西安碑林博物館
258	石雕菩薩頭像	唐	陝西西安市陵園路	陝西省西安碑林博物館
259	石雕思惟菩薩像	唐	陝西隴縣火燒寨鄉寺院遺址	北京保利藝術博物館
260	石雕菩薩立像	唐	河北曲陽縣修德寺遺址	河北省博物館
260	石雕彌勒菩薩立像	唐	河南滎陽市大海寺遺址	河南省鄭州市博物館
261	石雕十一面觀音像	唐	河南滎陽市大海寺遺址	河南省鄭州市博物館
261	石雕菩薩坐像	唐	四川成都市萬佛寺遺址	四川博物院
262	石雕觀世音菩薩頭像	唐	四川成都市萬佛寺遺址	四川博物院
263	石雕菩薩頭像	唐	四川成都市西郊鐵路局址	四川博物院
264	石雕菩薩像	唐		上海博物館
265	石雕不動明王像	唐	陝西西安市唐安國寺遺址	陝西省西安碑林博物館
266	石雕馬頭明王像	唐	陝西西安市唐安國寺遺址	陝西省西安碑林博物館
267	石雕降三世明王像	唐	陝西西安市唐安國寺遺址	陝西省西安碑林博物館
267	石雕金剛像	唐	陝西西安市唐安國寺遺址	陝西省西安碑林博物館
268	石雕天王像	唐	陝西	陝西省西安碑林博物館
269	石雕天王像	唐	陝西西安市南郊西安公路學院	陝西省西安市文物保護考古所
270	彩繪石雕天王像	唐	陝西扶風縣法門寺地宮	陝西省法門寺博物館
271	石雕天王像	唐	河南偃師市溝口頭村	河南省偃師商城博物館
271	石雕力士像	唐	陝西西安市西關王家巷	陝西省西安碑林博物館
272	石雕力士像	唐	四川成都市萬佛寺遺址	四川博物院
273	彩繪石雕獅子	唐	陝西扶風縣法門寺	陝西省法門寺博物館

石刻太陽人物紋

城背溪文化

湖北秭歸縣東門頭出土。

高105、寬20、厚12厘米。

石上刻一男子，男子頭上刻一光芒四射的太陽，腰部兩側各刻一大一小二個圓形，表現的應是天象。此石刻表現的應是太陽崇拜。

現藏湖北省文物考古研究所。

石雕人頭像

磁山文化

河北武安市出土。

五官表現誇張，眉部以陰綫刻劃，眼部呈圓窩形凸起，大口。額部有一穿孔，可能用以佩繫。背面下凹。

現藏河北省邯鄲市博物館。

陶面具

磁山文化

河北易縣北福地遺址出土。

高20.5、寬6.6–13.2厘米。

用陶片切割製成。以減地陽刻技法刻大眼框和口部等，雙眼和鼻孔鏤刻。額部和口兩旁共有五個穿孔，可穿繩佩戴。此面具應是舉行祭祀或巫術活動時使用的假面。

現藏河北省文物研究所。

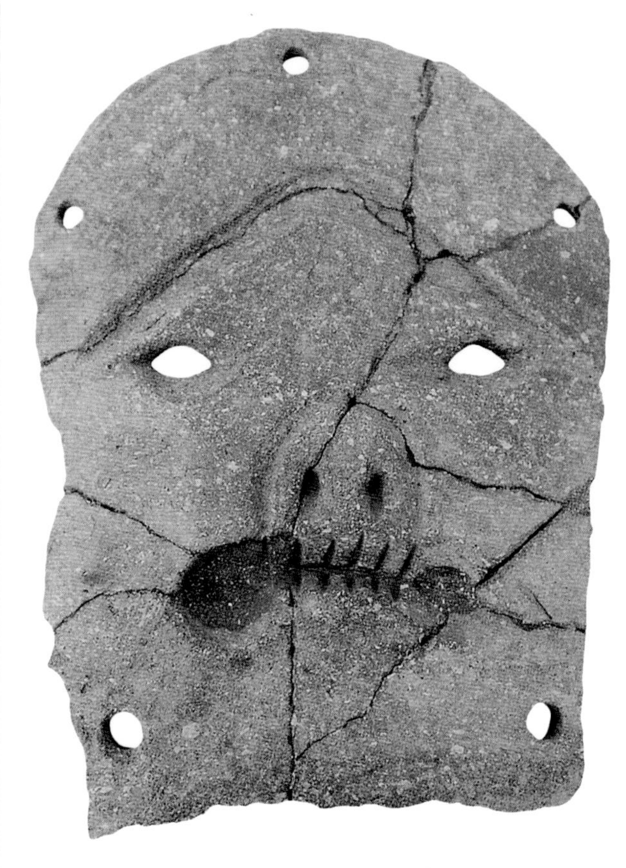

陶面具

磁山文化

河北易縣北福地遺址出土。

高18.6、寬11.3–14.3厘米。

用陶片切割製成。鏤刻雙眼。上部和下部共有五個穿孔，用于穿繩佩帶。

現藏河北省文物研究所。

陶面具

磁山文化
河北易縣北福地遺址出土。
高19.2、寬13厘米。
用陶片切割製成。鏤刻雙眼，口下有鬍鬚，似獸面。上部和中部共有四個穿孔，用于穿繩佩戴。
現藏河北省文物研究所。

象牙雕雙鳥捧日

河姆渡文化
高5.9、寬16.6、厚1.2厘米。
中間爲帶火焰紋的太陽，太陽兩旁刻二隻鳥，鳥大眼，勾嘴，長尾。此圖案與太陽崇拜有關。
現藏浙江省博物館。

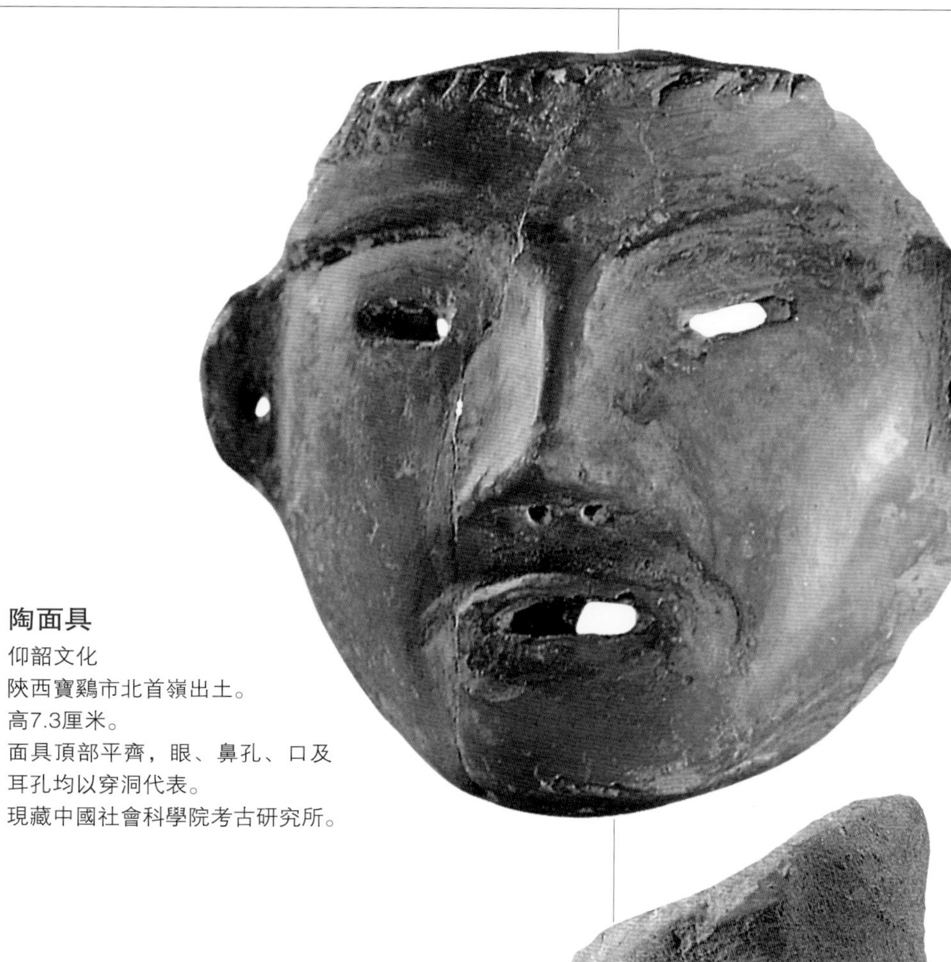

陶面具

仰韶文化
陝西寶鷄市北首嶺出土。
高7.3厘米。
面具頂部平齊，眼、鼻孔、口及耳孔均以穿洞代表。
現藏中國社會科學院考古研究所。

陶人像

仰韶文化
陝西扶風縣案板遺址出土。
泥質紅褐陶，手製。半身塑像，保存較完整。頭部斜戴平頂圓帽，圓眼，高鼻梁，口呈張開狀。口、眼係戳製，鼻梁係捏製，帽子和上肢貼塑而成。
現藏陝西省西北大學歷史博物館。

蚌堆塑龍虎

仰韶文化

河南濮陽市西水坡出土。

在墓主人身體兩側用蚌殼堆塑出龍和虎的造型，用以代表方位，表現了原始人的宇宙觀。

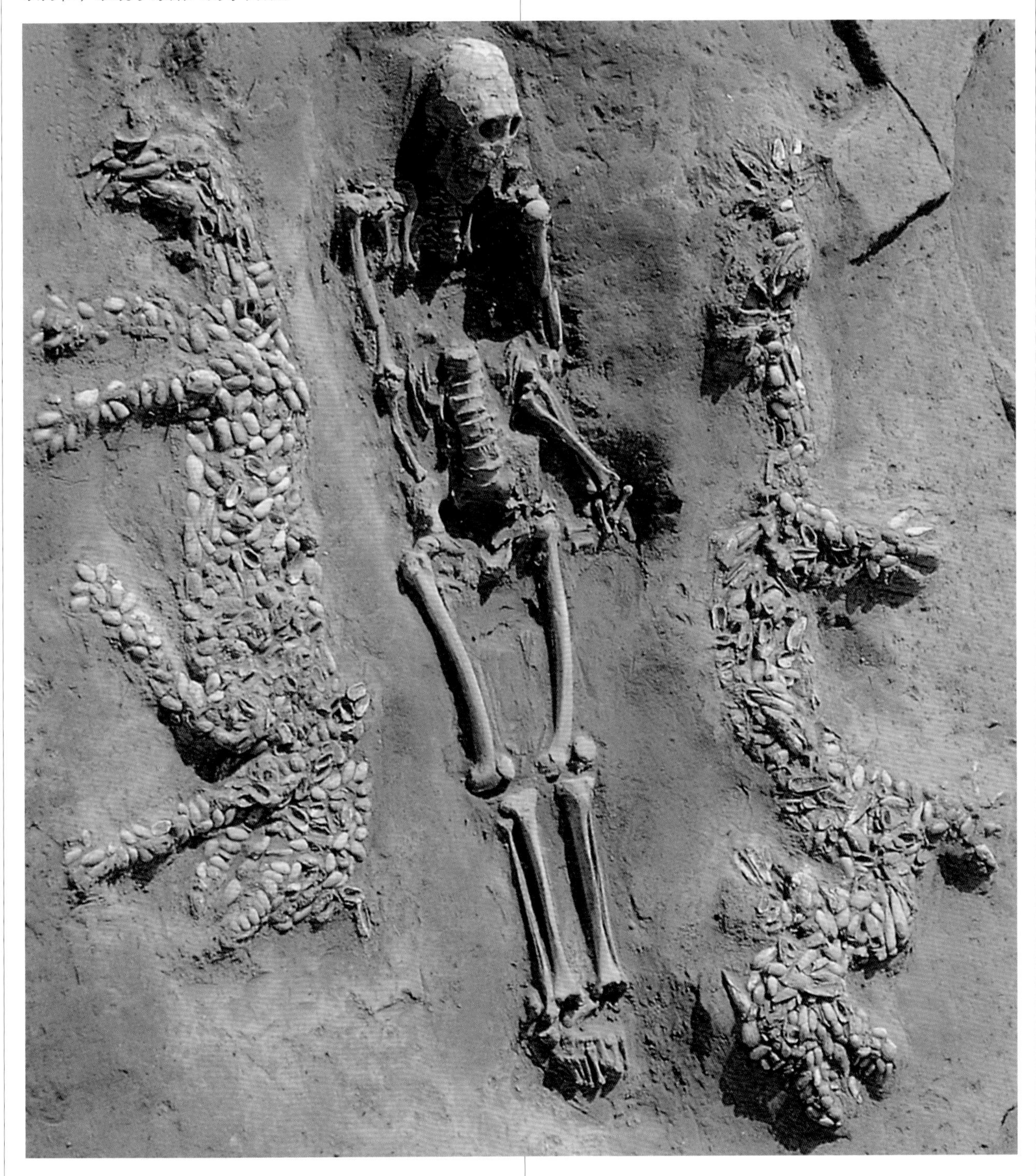

石人面飾

興隆窪文化
内蒙古林西縣白音長汗出土。
高5.8、寬4.4厘米。
正面上部磨出月牙形雙眼，口部凹槽内鑲嵌蚌殼表示牙齒。兩側耳部穿孔，可繫繩。此人面應爲祭祀所使用。
現藏内蒙古文物考古研究所。

石雕女神像

興隆窪文化
内蒙古林西縣白音長汗出土。
高35.5厘米。
女像裸體鼓腹，爲孕婦形象。出土時栽植立于室内火塘近旁土中，應是家庭的保護神，具有竈神和生育女神等多重神格。
現藏内蒙古文物考古研究所。

陶裸女像

紅山文化
遼寧朝陽市牛河梁遺址出土。
殘高9.5厘米。
頭與一足殘失，足穿靴。
現藏遼寧省文物考古研究所。

陶孕婦像

紅山文化
遼寧喀喇沁左翼蒙古族自治縣大城子鎮東山嘴祭祀遺址出土。
殘高5厘米。
頭及右臂、雙膝以下殘缺。腹部凸起，臀部肥大，體形似爲孕婦。應是豐收和生育之神。
現藏遼寧省博物館。

陶女神頭像

紅山文化

遼寧朝陽市牛河梁遺址出土。

高22.5、寬16.5厘米。

頭像用黃土摻禾草等塑造，外表用細泥打磨光滑，再塗紅彩。雙眼嵌入黑色圓玉石片。

現藏遼寧省博物館。

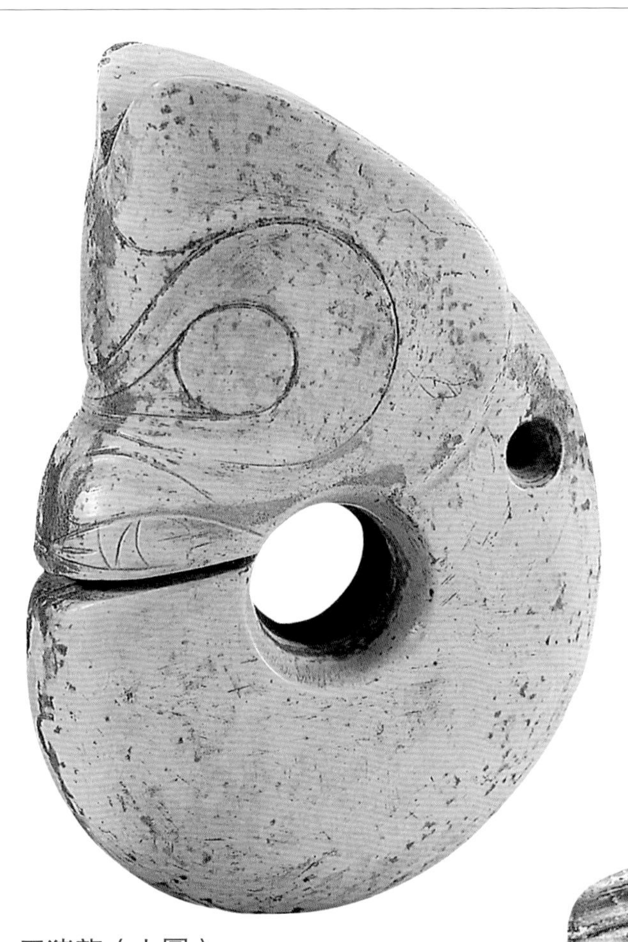

玉猪龍（上圖）

紅山文化
遼寧朝陽市牛河梁遺址采集。
高15厘米。
猪龍肥首大耳、雙目圓睜，身體蜷曲。此龍應是表現對自然神的崇拜。
現藏遼寧省博物館。

玉龍

紅山文化
內蒙古翁牛特旗三星他拉村出土。
高26厘米。
玉龍體蜷曲，吻前伸，頸背長鬣上捲。
現藏中國國家博物館。

石雕人像

紅山文化

内蒙古敖漢旗四家子鎮草帽山祭祀遺址出土。

高30厘米。

該遺址共出土四件石雕人像殘件。此像頭戴冠，雙目微閉。

現藏内蒙古自治區敖漢旗博物館。

人面形佩

大溪文化

重慶巫山縣大溪遺址64號墓出土。

高6、寬3.6厘米。

雙面各雕形象相似的人面，頂部有二穿孔。應是護佑靈魂的神靈形象。

現藏四川博物院。

玉冠狀飾

良渚文化
浙江杭州市餘杭區反山出土。
高6、上寬9.15、下寬7.5厘米。
正面雕神人獸面像的獸面，用陰綫細刻其蹲踞的下肢和鳥足。
現藏浙江省文物考古研究所。

玉冠狀飾

良渚文化
浙江杭州市餘杭區反山出土。
高3.9、上寬6.8、下寬6.2厘米。
左右、正背均對稱，鏤空雕刻神人的全形。
現藏浙江省文物考古研究所。

玉三叉形器

良渚文化
浙江杭州市餘杭區瑤山出土。
高4.8、寬8.5厘米。
中叉雕戴羽冠的獸面，左右兩叉雕側面相向的神人頭像。
現藏浙江省文物考古研究所。

陶面具

馬家窑文化
甘肅天水市柴家坪出土。
殘高17厘米。
面具短髮隆起，彎眉，窄直鼻。嘴及雙眼雕空。兩耳垂有可繫物的穿孔。應是祭祀時的假面。
現藏甘肅省博物館。

石雕鑲嵌人面像

馬家窑文化
甘肅永昌縣鴛鴦池墓葬出土。
高3.9、寬2.6厘米。
人面以黑色樹膠粘扁平的白色骨珠嵌入眼、嘴部的凹處，鼻孔亦用黑色樹膠點出。頂部有一穿孔。
現藏甘肅省博物館。

玉鷹

凌家灘文化
安徽含山縣凌家灘1號墓出土。
長8.4厘米。
玉鷹兩翅張開，翅端如獸首，腹部刻八角星紋，可能是太陽的象徵圖案。
現藏故宮博物院。

玉人像

凌家灘文化
安徽含山縣凌家灘1號墓出土。
高9.6厘米。
共出土六件玉人，均頭戴冠，雙手捂胸前，似在祈禱。
有站姿也有坐姿，應與宗教活動有關。選二。
現藏故宮博物院。

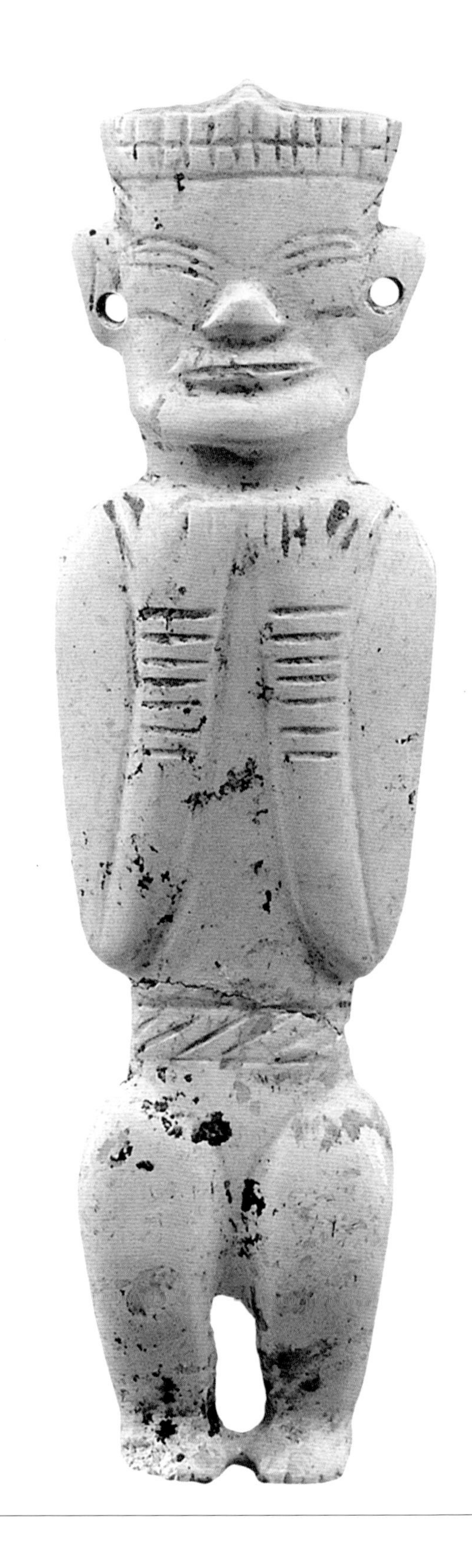

緑松石蛇形器

夏

河南偃師市二里頭墓葬出土。

長64.5、中部最寬處4厘米。

蛇形器放于墓主人骨架之上，全器由二千餘片小緑松石拼合而成。頭部中脊由三節實心半圓形青、白玉柱組成，口部以蒜頭狀緑松石表示，兩眼以圓餅形白玉表示。尾尖内捲。

現藏中國社會科學院考古研究所。

銅雙面人頭像

商

江西新干縣大洋洲出土。

通高53厘米。

頭像中空。頂立一對長彎角，上飾雲紋。正中有一圓管，下有方銎，應爲插口。闊口露齒，下有兩顆彎捲獠牙。

現藏江西省博物館。

銅人形面具

商
陝西城固縣寶山鎮蘇村出土。
高15.8厘米。
面具雙眼、鼻孔和口部鏤空，雙耳有耳孔。
現藏陝西省城固縣文化館。

銅獸形面具

商
陝西城固縣寶山鎮蘇村出土。
高19.1厘米。
面具似牛面，角下和嘴角左邊各有一孔。
現藏陝西省城固縣文化館。

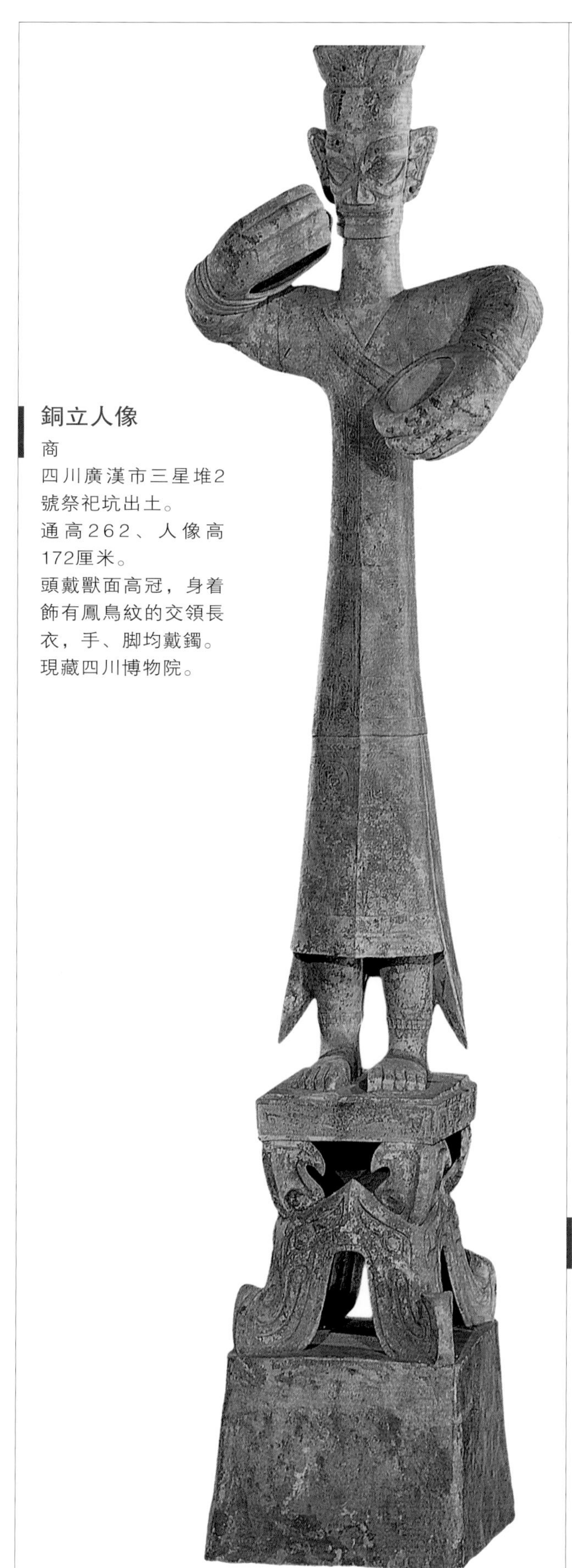

銅立人像

商

四川廣漢市三星堆2號祭祀坑出土。

通高262、人像高172厘米。

頭戴獸面高冠，身着飾有鳳鳥紋的交領長衣，手、脚均戴鐲。

現藏四川博物院。

銅人頭像

商

四川廣漢市三星堆2號祭祀坑出土。

高40.4厘米。

平頭頂，刀狀長眉，雲雷形耳，耳垂穿孔。闊口，閉嘴、寬下頜，粗頸，髮辮垂于腦後，上端扎束。

現藏四川省文物考古研究所。

金面罩銅人頭像

商

四川廣漢市三星堆２號祭祀坑出土。

高42.5厘米。

由銅頭像和金面罩組成。頭像平頂，頭髮梳辮，垂于腦後，上端扎束，耳垂穿孔，頸下鑄成倒三角形。金面罩以金箔打製，眼、眉鏤空，以土漆調合石灰爲黏合劑粘貼于頭像上。

現藏四川省文物考古研究所。

銅人頭像

商

四川廣漢市三星堆２號祭祀坑出土。

高51.6厘米。

圓頭頂，面罩從臉部蒙至頭頂，髮從前向後梳，斂于冠内。腦後斜插一扁圓形髮飾。長條形耳廓，耳垂穿孔。

現藏四川省文物考古研究所。

銅突目面具

商

四川廣漢市三星堆２號祭祀坑出土。

高66、寬138厘米。

面部長方形，斷面成“U”形。額中有方孔。眼球瞳孔突出，呈圓角菱柱狀，鷹勾鼻，闊口，方頤，戈形耳。耳前上下各有一長方形穿孔。

現藏四川省文物考古研究所。

銅突目面具

商

四川廣漢市三星堆２號祭祀坑出土。

高82.5厘米。

面部長方形。額正中以補鑄法安裝有額飾，成勾雲狀，中有刀狀羽翅，眉眼描黛，眼球瞳孔突出，圓角菱柱形，戈形對耳，口唇塗朱。

現藏四川省文物考古研究所。

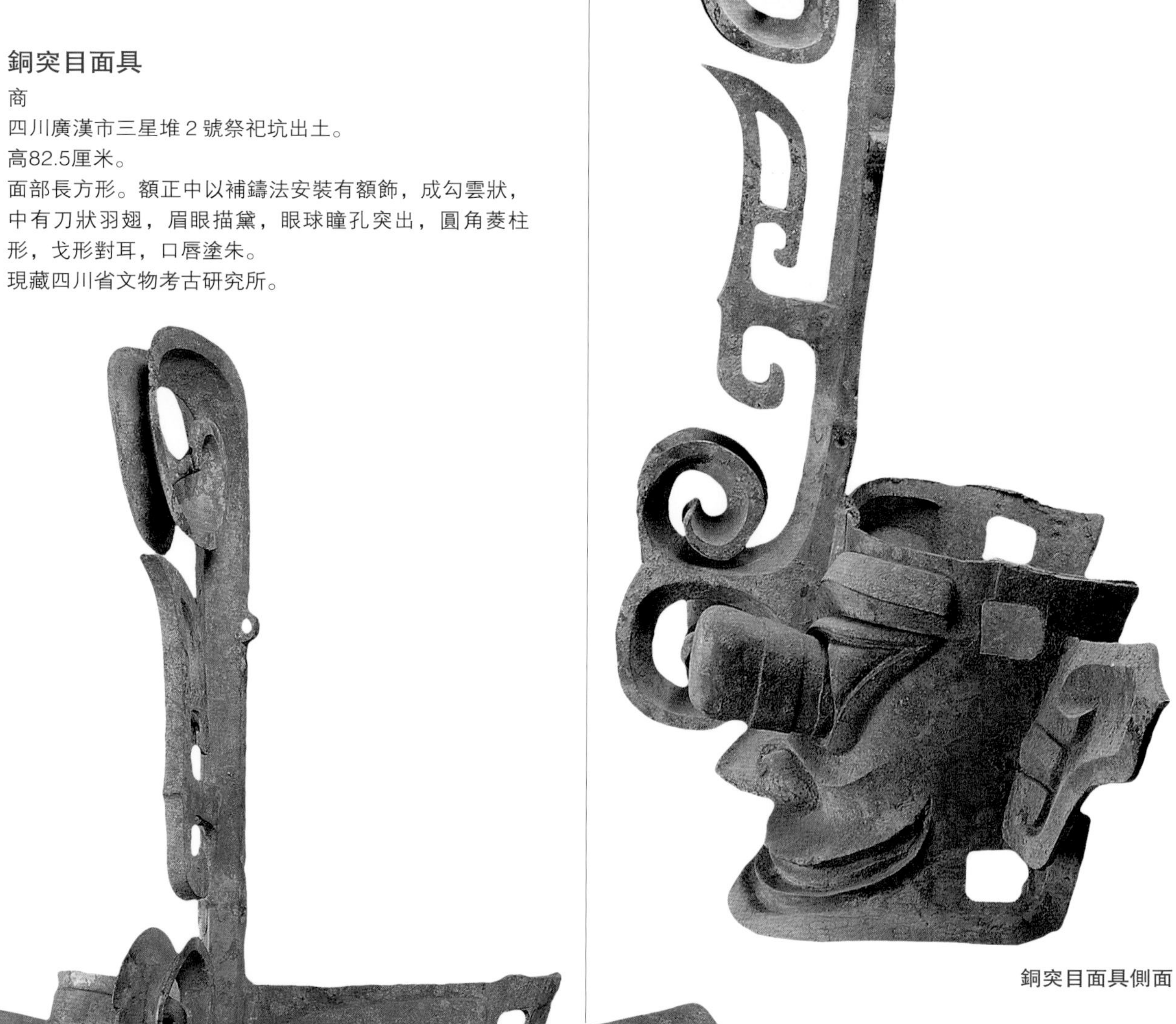

銅突目面具側面

銅人面具

商
四川廣漢市三星堆2號祭祀坑出土。
高40.3、寬60.5厘米。
臉方正。長方耳，耳垂穿孔，唇塗朱。眉梢末端、面具後緣上下轉角均有方孔。
現藏四川省文物考古研究所。

銅獸面具

商
四川廣漢市三星堆2號祭祀坑出土。
高19.6、寬23.4厘米。
面具爲方形扁片。獸面雙眼圓睜，長直鼻，扁寬嘴，嘴角下鈎，粗眉外展與内鈎的雙角相連，頭頂有劍鋒和勾雲狀裝飾。
現藏四川省文物考古研究所。

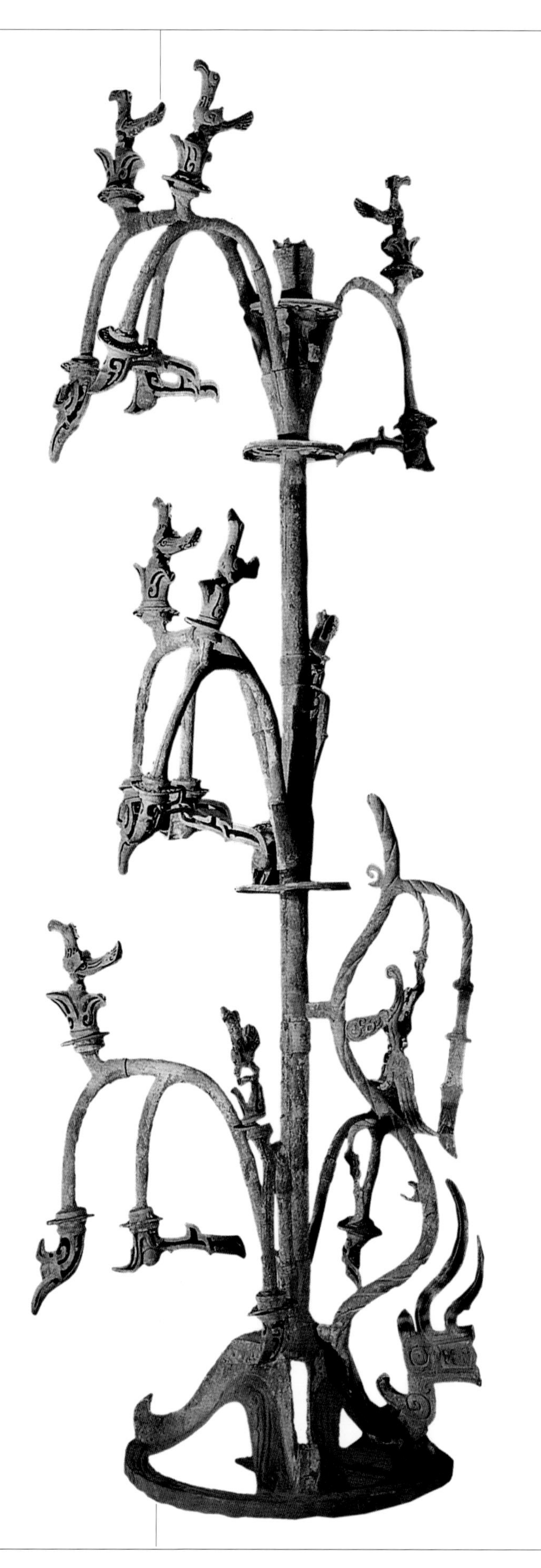

銅神樹

商

四川廣漢市三星堆２號祭祀坑出土。

通高396、樹幹殘高359、座部圈座直徑92.4－93.5厘米。

由龍、樹身與樹座三部分組成。樹身鑄于樹座正中，套鑄三層樹枝，每層出三枝，二、三層樹枝之下樹幹上鑄有鏤空炯紋圓環。樹尖爲一花朵，頂殘缺。每層樹枝又以中段分枝，下垂二分枝端部綻放花朵，花朵套有鏤孔紋圓環，由二鏤空羽狀花瓣與一桃形果實組成，花瓣上有穿孔及環鈕。向上短枝花朵上均立鳥，鳥喙穿孔，尾羽鏤空。樹幹一方嵌鑄一龍。龍頭鼻、額生角，尾殘斷，繩索狀龍身呈波曲形沿樹而下，前足落于樹座上，項後有短翅，腹下與背部有劍狀羽。樹座圓形，底圈上三足之間通透，拱起如樹根，拱頂有長方形孔洞，飾竊曲紋。

現藏四川省文物考古研究所。

銅人首鳥身像

商

四川廣漢市三星堆２號祭祀坑出土。

高12厘米。

應爲神樹枝頭飾件。鳥立于神樹枝頭花蕾上。首爲人頭形，戴雙翼高冠，立眼，高鼻，闊口。尾羽上翹，兩翼呈寬大勾雲狀。

現藏四川省文物考古研究所。

銅立鳥

商

四川廣漢市三星堆２號祭祀坑出土。

高21.4厘米。

鳥頭頂中空，鷹嘴狀鈎喙，展翅，尾上翹。可能爲神樹上立鳥。

現藏四川省文物考古研究所。

銅鳥頭

商

四川廣漢市三星堆２號祭祀坑出土。

高40.3厘米。

似鷹頭狀。矮冠，短鈎喙，喙尖下折，三角形耳。下端近口處有三孔，表明該器可能是某種器物上的飾件。

現藏四川省文物考古研究所。

銅公鷄

商

四川廣漢市三星堆２號祭祀坑出土。

高14.2、長11.7厘米。

挺胸昂首，身體肥碩，尾羽豐滿，立于門字形方座上。

現藏四川省文物考古研究所。

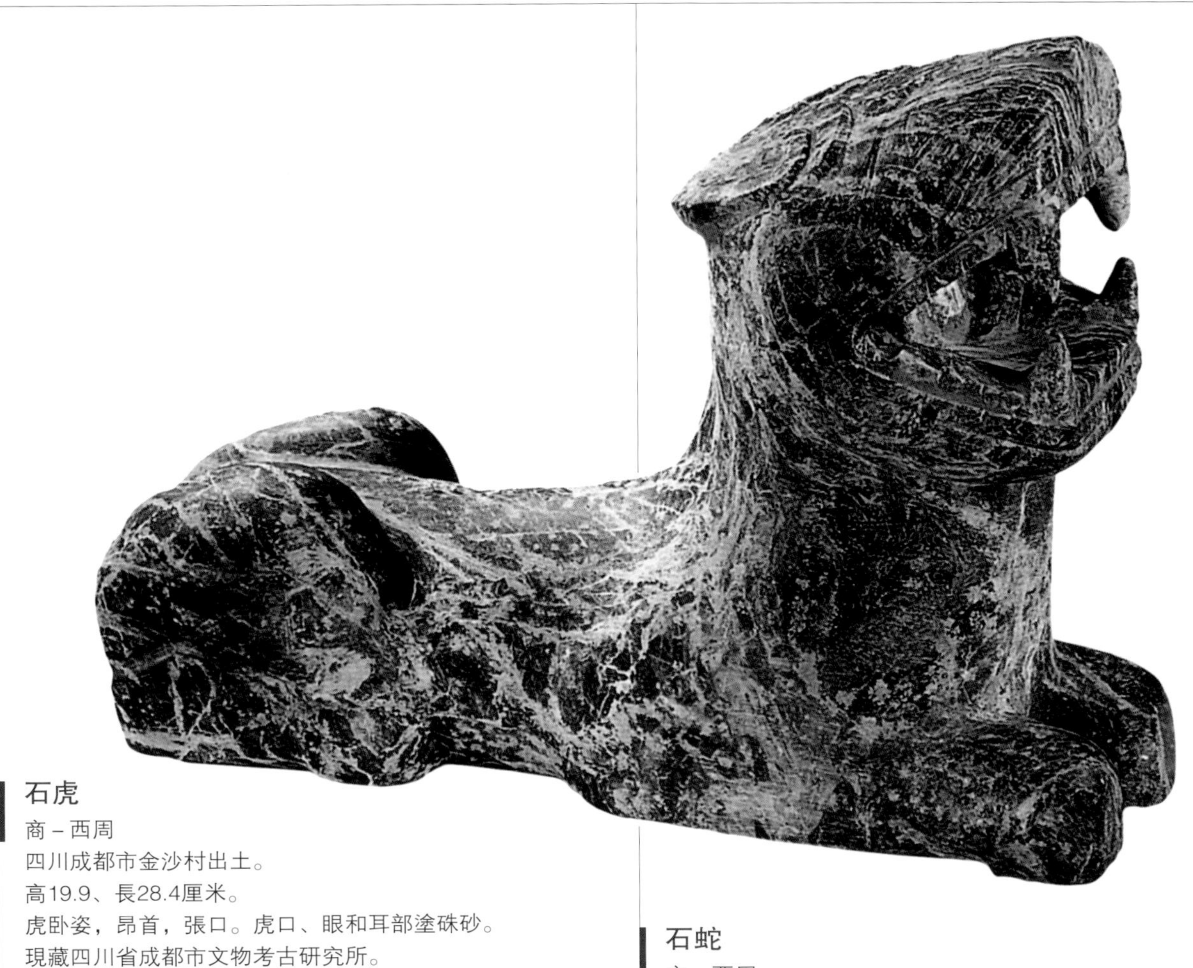

石虎

商－西周

四川成都市金沙村出土。

高19.9、長28.4厘米。

虎卧姿，昂首，張口。虎口、眼和耳部塗硃砂。

現藏四川省成都市文物考古研究所。

石蛇

商－西周

四川成都市金沙村出土。

高5.4、身長41.8厘米。

蛇體呈“S”狀，蛇首三角形，黑色眼框，眼珠塗硃，鉛繪黑色瞳孔。

現藏四川省成都市文物考古研究所。

銅立人像

商－西周

四川成都市金沙村出土。

通高19.6厘米。

立人頭戴一道環形帽圈，上有十三道弧形芒狀裝飾，如太陽的光芒。雙手呈持物狀。

現藏四川省成都市文物考古研究所。

銅立人像

戰國

河南洛陽市金村出土。

通高30厘米。

立人足踏方板，雙手皆持銅棍，棍頭立玉鳥。人物昂首凝視玉鳥，髮結辮垂于胸前，袒胸露腹，着披肩，身披直紋長袍，胯部右側懸短劍，足蹬皮靴。

現藏美國波士頓美術館。

陶雙翼神獸

秦
陝西西安市北郊秦墓出土。
高29、長28厘米。
獸頭部前傾，前足伏地，後足蹬踞，肩生雙翼，長尾高翹，作前撲狀。
現藏陝西省西安市文物保護考古所。

銅羽人像

西漢
陝西西安市漢長安城遺址出土。
高15.3厘米。
羽人大耳披髮，身着高領右衽短衣，曲膝跽坐，跣足。背部有雙翼，膝下有垂羽。雙膝間有半圓形凹槽，用以插物。羽人雙手原應持物。
現藏陝西省西安市文物保護考古所。

陶翼馬

西漢

陝西西安市灞橋區出土。

高39、長55厘米。

卧馬長吻，肩長雙翼。

現藏陝西省西安市文物保護考古所。

銅剽牛祭柱扣飾

西漢

雲南江川縣李家山出土。

通高10.1、寬13.3厘米。

剽牛柱旁有十一人奮力制服一頭悍牛，準備剽殺。牛頸部套繩纏于柱上，柱頂立一牛形飾。剽牛祭柱爲古滇人的宗教儀式。

現藏雲南省江川縣文物管理所。

漆木人頭形祖

西漢

雲南昆明市官渡區羊甫頭出土。

長22.6、高11.6厘米。

祖上的人頭頂束髮，張口露齒，下頜前突，底部繪甲蟲形圖案，祖呈多棱形。

現藏雲南省文物考古研究所。

漆木水鳥形祖

西漢

雲南昆明市官渡區羊甫頭出土。

長25.6、高18厘米。

祖上的水鳥爲一隻鵜鶘，曲頸長喙，口銜一條作掙扎狀的扁頭魚。

現藏雲南省文物考古研究所。

陶座銅摇錢樹

東漢

四川綿陽市何家山2號漢墓出土。

通高198厘米。

基座爲紅陶，樹用青銅澆鑄。樹冠分爲七層，頂層裝飾鳳鳥形成樹尖，二層飾西王母、力士和璧等圖案，其下飾龍首、朱雀與獸、象與象奴、朱雀與鹿及成串錢幣。

現藏四川省綿陽博物館。

陶摇錢樹座

東漢

四川彭山縣出土。

高60厘米。

橢圓形山丘狀底座，浮雕一龍一虎，座上部塑一麒麟，麟背又塑一羊，羊馱圓柱狀插座，圍繞插座雕童子和仙人。

現藏南京博物院。

陶摇錢樹座

東漢

四川成都市出土。

高60.5、寬42厘米。

樹座爲雲氣繚繞的神山形狀，山頂坐西王母，其餘人物應爲仙人。

現藏四川省成都市博物館。

石刻佛坐像

東漢

位于四川樂山市凌雲山麻浩1號崖墓後室門楣上方。

高37厘米。

佛有圓形頭光，高肉髻，着通肩衣，右手作施無畏印。

銅佛像紋摇錢樹

東漢

陝西城固縣出土。

殘高93.5厘米。

摇錢樹頂部浮雕佛坐像，佛着通肩袈裟，有頭光。主幹附有熊和玉璧圖形，枝幹上用錢和仙人等表現神仙世界。

現藏陝西省城固縣張騫文物管理所。

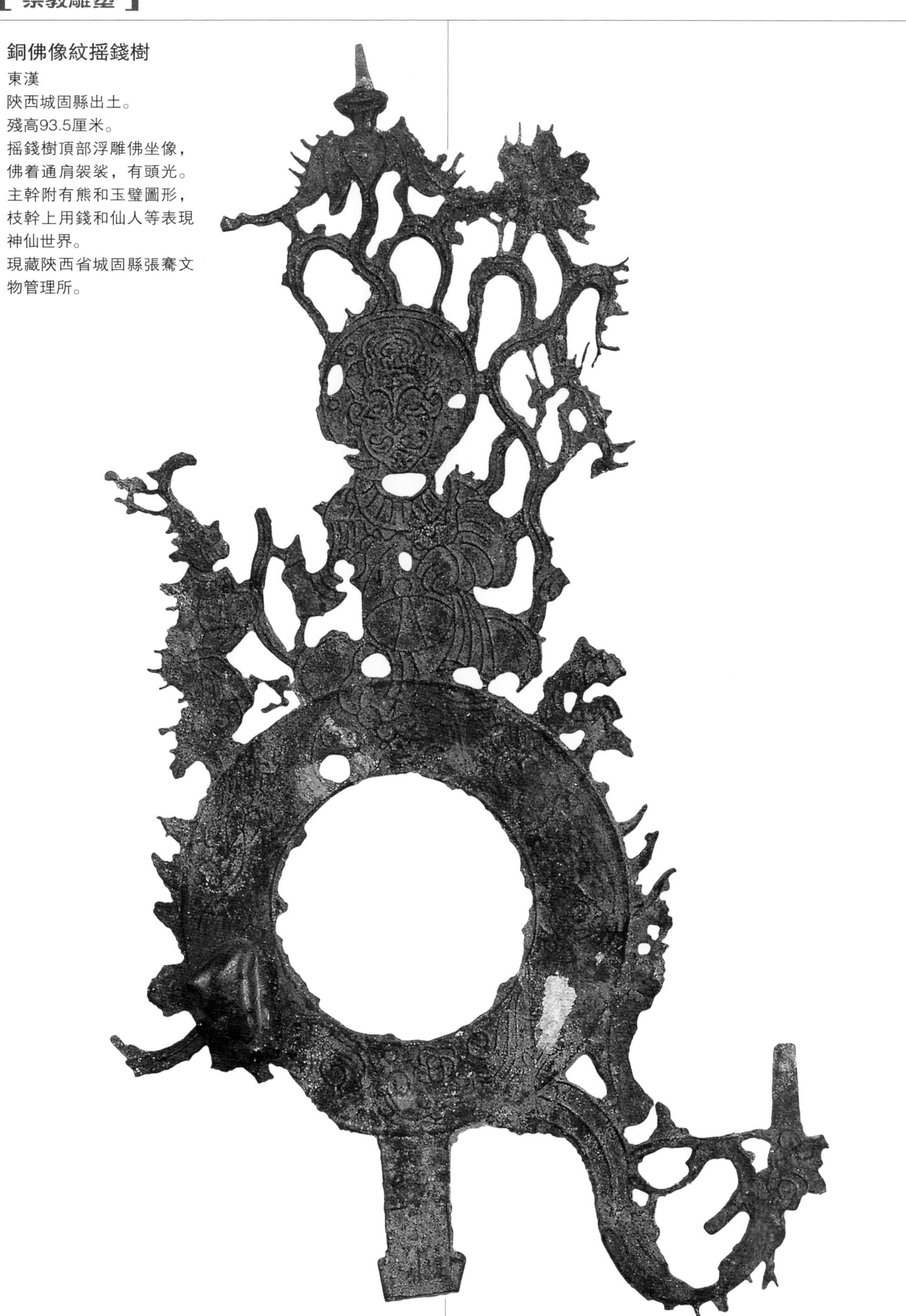

陶佛像插座

東漢

四川彭山縣出土。

高21.3厘米。

上部作柱狀，中空。柱表高浮雕一佛，高肉髻，着通肩袈裟，無頭光。佛兩側各一脅侍，胡人裝束。佛在當時是作爲异域神仙而雕造的。

現藏南京博物院。

銅摇錢樹佛像

三國・蜀

重慶忠縣塗井5號崖墓出土。

高18厘米。

共出土六節，六節相接組成摇錢樹樹幹。每節樹幹上一人物，高髻，盤坐，雙手執物，應爲佛像。樹幹兩側插葉，葉間飾璧和錢。

現藏四川博物院。

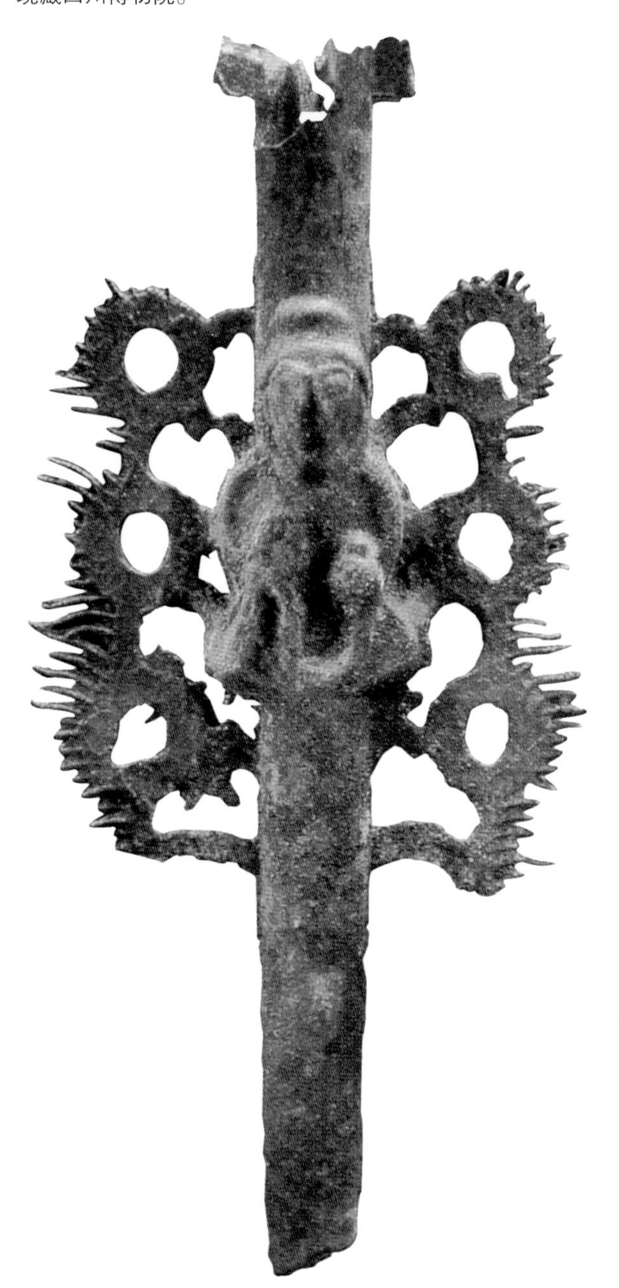

鎏金銅佛像帶飾

三國・吴

湖北武漢市武昌區蓮溪寺校尉彭盧墓出土。

高4.9、寬3.1厘米，

帶飾中刻立佛一尊，高髻，有環形頭光，裸上身，左手撫胸，右手外揚，下着長裙，赤足立于蓮臺上。

現藏湖北省博物館。

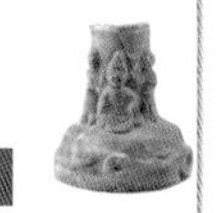

青瓷神仙佛像盤口壺

三國・吴
江蘇南京市雨花臺區長崗村出土。
高32.1厘米。
壺通體用褐彩在胎上繪羽人、靈獸、仙草、雲氣等紋飾，在肩部模貼佛像和鋪首。
現藏江蘇省南京市博物館。

陶佛像

三國・吴
江蘇南京市趙士崗吴墓出土。
高4.2厘米。
模印製作。佛頭梳高髻，頭後有頭光，身着通肩袈裟，兩肩各有一獅。墓有三國吴鳳凰二年（公元273年）紀年。
現藏南京博物院。

綫刻佛像金板

東晋

江蘇鎮江市跑馬山東晋墓出土。

高5.1、寬2.8厘米。

金板外形不規則，表面綫刻一裸體佛像，頭後有圓形二重頭光。

現藏江蘇省鎮江博物館。

鎏金銅菩薩立像

東晋

高17.8厘米。

菩薩束高髻，肩披長巾，戴項圈，身繞帔帛，下束裙，左手提净瓶，右手作施無畏印。

現藏故宫博物院。

鎏金銅佛坐像

十六國・後趙

高39.4厘米。

佛高髻，額際寬平，下顎漸收，有犍陀羅造像特徵。像有後趙建武四年（公元338年）造像銘，是中國現存最早的有紀年銘記的圓雕式佛像。

現藏美國舊金山亞洲美術博物館。

鎏金銅佛坐像

十六國・後秦
甘肅涇川縣玉都鄉出土。
高19厘米。

佛肉髻高大光滑，着圓領通肩袈裟，結跏趺坐，手作禪定印。佛座兩側有二蹲獅，中間爲忍冬紋。圓形頭光内飾蓮瓣紋，上方有傘蓋。
現藏甘肅省博物館。

石雕造像塔

十六國・北凉

甘肅酒泉市出土。

高44.6厘米。

塔上半部由圓形寶頂、七層相輪和圓形覆鉢組成，覆鉢下層有八個圓拱龕，七個龕内各雕坐佛一身，一龕雕交脚彌勒。圓形塔座刻一周《增一阿含經》經文和北凉承玄元年（公元428年）高善穆發願文。最下層爲八角形基座，七面刻菩薩，一面刻藥師佛，每面右上部并刻“八卦”卦象。塔頂部刻北斗七星。

現藏甘肅省博物館。

石雕造像塔

十六國・北凉

甘肅酒泉市專署街86號院出土。

高42.8厘米。

塔基部爲八角形，上刻菩薩像，塔身上刻北凉太緣二年（公元436年）程段兒發願文，覆鉢開八個圓拱尖形龕，内雕七佛和一交脚菩薩。上方爲塔刹和相輪。

現藏甘肅省酒泉市肅州區博物館。

石雕造像塔

十六國・北凉

甘肅酒泉市出土。

高52厘米。

塔覆鉢分兩層，上層開八龕，内雕七坐佛和一交脚菩薩；下層爲六坐佛、一交脚菩薩和一思惟菩薩。塔身上刻北凉白雙且發願文。

現藏甘肅省博物館。

鎏金銅佛坐像

十六國・夏

高19厘米。

佛高肉髻，着通肩袈裟，手結禪定印坐于方座上，方座兩旁有蹲獅，下有四足臺座。有夏勝光二年（公元429年）中書舍人施文造像記。

現藏日本大阪市立美術館。

鎏金銅佛坐像

十六國
河北石家莊市北宋村出土。
高21.4厘米。
坐佛舟形背光，高肉髻，着通肩袈裟，手作禪定印；上方有二飛天和一小坐佛，兩側爲二弟子。背光上張一傘蓋。
現藏河北省博物館。

鎏金銅佛坐像

十六國
高15.2厘米。
佛肉髻高聳，眉目細長。佛座前有二蹲獅。
現藏日本私人處。

鎏金銅佛坐像

十六國

高 32.9厘米。

坐佛高肉髻，眉間有白毫，着通肩袈裟，衣紋綫凸起，從左肩散向胸前，手作禪定印，結跏趺坐于獅子座上。肩上生火焰。

現藏美國哈佛大學福格美術館。

鎏金銅佛立像

十六國

高15.8厘米。

佛着通肩袈裟，右手作施無畏印。

現藏日本京都國立博物館。

鎏金銅菩薩立像

十六國
傳出于陝西三原縣。
高33.1厘米。
菩薩高髻，長髮披肩，濃密髯鬚。袒上身，下着大裙，左手提净瓶，右手作施無畏印。
現藏日本京都藤井有鄰館。

石雕佛道造像碑

北魏

高131、寬66-73厘米。

碑陽上部鑿拱形龕，雙龍交纏式龕楣。龕内雕天尊和釋迦，天尊頭戴冠，着雙領下垂式道袍，釋迦着袒右袈裟。龕二側壁爲二菩薩。龕下爲一香爐和二身跪姿供養人。碑陽下部分爲二層，上層爲車馬出行，下層爲十一身供養人。碑陰上部開龕，雕思惟菩薩，下部爲北魏始光元年（公元424年）魏文朗造像記。

現藏陝西省藥王山博物館。

石雕佛道造像碑實物

石雕佛道造像碑拓片

石雕交脚佛坐像

北魏

高41.5厘米。

佛高髻，耳垂肩，身着通肩袈裟，手作轉法輪印。有北魏延興二年（公元472年）造像記。

現藏上海博物館。

石雕佛坐像

北魏

高28.7厘米。

佛高髻，着袒右袈裟。佛座正面浮雕博山爐、獅子和供養人，兩側面各浮雕三位供養人，背面刻北魏天安元年（公元466年）馮受受造像記。

現藏日本大阪市立美術館。

石雕彌勒佛坐像

北魏
陝西興平市出土。
高86、寬55厘米。
佛高肉髻，波狀髮，着通肩袈裟，交脚而坐，下方有一力士承托其雙足。舟形背光，內刻火焰紋和千佛。背面分爲多格，雕刻太子誕生、樹下思惟、乘象入胎、婆羅門現相、逾城出家等佛傳故事。下方爲北魏皇興五年（公元471年）發願文。
現藏陝西省西安碑林博物館。

石雕彌勒佛坐像背面

石雕佛立像

北魏

原位于北京海淀區車兒營村。

高220厘米。

佛螺髻，着袒右袈裟，赤足而立。背光下部兩側各雕一身脅侍菩薩，上部雕火焰紋、忍冬紋和飛天。背光背面雕千佛。此像雕于北魏太和二十三年（公元499年）。

現藏北京石刻藝術博物館。

石雕造像塔

北魏

甘肅酒泉市出土。

高38、底座邊長16厘米。

此塔三層，每層各面中央設有拱形小龕，分别雕出釋迦誕生、灌頂、苦行等場面和佛、菩薩、供養者像。基座上有己卯（當爲北魏太和二十三年，公元499年）曹天護發願文。

現藏甘肅省酒泉市肅州區博物館。

石雕佛坐像

北魏

高164.8厘米。

佛結跏趺坐，兩側爲二脅侍菩薩。背光上雕坐佛和飛天。背光背面和臺座四周雕供養人像。有北魏景明元年（公元500年）牛伯陽造像記。

現藏日本大阪市立美術館。

石雕四面佛龕

北魏

陝西西安市長安區查家寨出土。

高58厘米。

四面開龕，龕内主像均爲一佛二菩薩，另外雕化佛、獅子和神王等。正面龕下部有北魏景明二年（公元501年）造像記。

現藏陝西西安碑林博物館。

石雕交脚彌勒菩薩像

北魏

陝西長武縣丁家鄉直谷村出土。

高53厘米。

龕内菩薩戴高冠，交脚坐。菩薩腿旁有二獅。龕外左側一坐者，題“此是文殊佛”；右側立一比丘，題“比丘僧崔”。龕正面下部有北魏延昌二年（公元513年）郭伏安造像記。

現藏陝西省長武縣博物館。

石雕道教三尊像

北魏

高43.5厘米。

主尊戴冠，額間有白毫，身着對襟寬袖大衣，右手持麈尾。兩脅侍戴冠，着交領衫，雙手合十。基座上刻香爐和二道者。有北魏延昌四年（公元515年）蓋氏造像記。

現藏日本大阪市立美術館。

石雕佛立像

北魏

山東青州市發現。

高224厘米。

佛着雙領下垂袈裟，赤足立于蓮座，背光上有九化佛和一龍，背光外圈爲十一位飛天。佛和菩薩間浮雕二供養人。造像側面和背面浮雕衆多小佛坐像。臺座正面有北魏正光六年（公元525年）張寶珠造像記。

現藏山東省博物館。

石雕彌勒菩薩坐像

北魏

河南滎陽市大海寺遺址出土。

高147、寬100厘米。

龕内爲交脚彌勒菩薩、脅侍菩薩和比丘。龕楣飾坐佛，龕柱爲龍柱，龕外爲力士和供養人等。背面雕衆多供養人，并有北魏孝昌元年（公元525年）造像記。

現藏河南博物院。

石刻佛座禮佛圖

北魏

爲北魏正光六年（公元525年）曹望憘造像佛座之綫刻。像已失，僅存佛座。座正面刻二護法獅子，中間蓮座上坐一托圓盤供養人，盤上置博山爐；座右面刻曹望憘禮佛圖，二侍女伴其左右，其後爲隨行人馬；座左面刻曹望憘夫人禮佛圖，隊列之後有牛車相隨。座背面刻造像記。

現藏法國巴黎博物館。

石雕道教像

北魏

高27.8、寬27.5厘米。

二道者戴高冠，長鬚髯，身着道袍，旁立三位道教女官。有隆緒元年（隆緒爲南朝齊後裔蕭寶夤年號，元年相當于北魏孝昌三年，即公元527年）王阿善造像記。現藏中國國家博物館。

彩繪石雕彌勒佛立像

北魏

山東青州市龍興寺窖藏出土。

高55、寬51厘米。

主尊爲彌勒佛，蓮花瓣頭光，高肉髻，内着僧祇支，外披雙領下垂式袈裟，左手作與願印，右手作施無畏印，赤足立于蓮座上。兩側菩薩身繞帔帛交于腹前環形飾上。基座上有北魏永安二年（公元529年）韓小花（華）造像記。

現藏山東省青州博物館。

石雕造像碑

北魏

主龕中間爲一佛、二弟子、二菩薩、二護法獅。龕旁有飛天和天王形象；龕楣爲化佛八尊，上飾雙鳳；龕上再作化佛十六尊；外框飾纏枝唐草紋；龕下二重六框刻佛傳故事。碑額爲雙龍拱形式，中作九龍浴太子圖。有北魏永安二年（公元529年）造像記。

現藏美國波士頓美術館。

石雕供養菩薩像

北魏

寧夏彭陽縣新集村出土。

高48厘米。

菩薩束高髻，身繞帔帛交于腹前，雙手托供養物，赤足而立。有北魏建明二年（公元531年）造像記。

現藏寧夏回族自治區固原博物館。

石雕觀世音菩薩立像

北魏

河北曲陽縣修德寺遺址出土。

高34厘米。

觀音菩薩舟形火焰背光，戴高寶冠，袒上身，戴項圈，身繞帔帛，下束裙，赤足立于蓮臺上。有北魏永熙二年（公元533年）趙曹生造像記。

現藏故宫博物院。

石雕釋迦彌勒像

北魏

陝西徵集。

高100厘米。

石分上下兩部分，上部爲釋迦佛坐像，下部爲交脚彌勒菩薩坐像。正面緣部有北魏太昌元年（公元532年）造像記。

現藏陝西省西安市文物保護考古所。

石雕造像塔

北魏

甘肅莊浪縣水洛城徐家碾出土。

高218、底寬44厘米。

現存五石，五石重疊成塔。塔身呈梯形，爲樓閣式。每石均四面雕刻，内容爲佛像、菩薩、弟子、力士、供養人和佛傳故事。現藏甘肅省莊浪縣博物館。

石雕造像塔局部之一

石雕造像塔局部之二

石雕造像塔（局部）

北魏
山西沁縣南涅水村出土。
底層石邊長約70厘米，頂端石邊長約20厘米。
南涅水出土的石造像塔，多由七至八層組成，此造像塔每石均四面開龕，龕内雕佛像。
現藏山西省沁縣南涅水石刻館。

石雕造像塔（局部）

北魏
山西沁縣南涅水村出土。
上部龕内雕交脚菩薩，兩側各雕一脅侍菩薩，座兩旁各有一蹲獅，龕楣中央爲蓮花化佛，化佛兩旁各一身飛天，龕兩側各雕兩排千佛。下部龕内雕一佛二菩薩。
現藏山西省沁縣南涅水石刻館。

石雕造像塔（局部）

北魏

山西沁縣南涅水村出土。

此龕内雕佛倚坐像，兩旁各立一身菩薩。此龕造像民間地方風格濃重。

現藏山西省沁縣南涅水石刻館。

石雕佛頭像

北魏

山西沁縣南涅水村出土。

高27厘米。

佛低平髻，雙目低垂，抿嘴。

現藏山西博物院。

石雕造像

北魏

高39厘米。

四面雕像，應是造像塔的一節。正面龕內爲一佛二菩薩，龕楣雕飛天；左面龕內爲二佛，下部爲雙獅；右面龕內爲一佛二菩薩，下部爲駱駝和怪獸；背面龕內爲二菩薩對坐，下部爲龍紋。

現藏上海博物館。

石雕造像之左面

石雕造像之右面

石雕造像之背面

石雕雙龕造像碑

北魏

高119、寬58厘米。

上層龕內三佛，中間爲交脚坐佛，兩弟子侍立，兩旁爲倚坐佛。下層龕內爲一坐佛二菩薩。

現藏陝西省西安碑林博物館。

石雕彌勒佛坐像

北魏

高105、寬53厘米。

佛交脚倚坐于獅子座上，高肉髻，波狀髮，着圓領通肩袈裟；兩側爲二脅侍，雙手合十。座正面下部有劉保生夫婦造像記。

現藏陝西省西安碑林博物館。

石雕佛立像

北魏

河南淇縣城關鎮出土。

高96厘米。

佛高肉髻，波狀髮，内着僧衹支，外披雙領下垂式袈裟，舟形火焰背光，圓形頭光内飾蓮花忍冬紋。兩側爲脅侍菩薩。背面上部爲一佛二弟子，下部滿雕供養人像，皆有榜題，其中有“菩薩主田延和”。

現藏河南博物院。

貼金彩繪石雕佛立像

北魏
山東青州市七級寺遺址出土。
高134厘米。
佛高肉髻，螺髮，着褒衣博帶式袈裟，面部、頸部、胸部和手足處均貼金，袈裟施彩繪。佛頭光和火焰紋背光均施彩繪。
現藏山東省青州博物館。

貼金彩繪石雕佛立像

北魏

山東青州市龍興寺窖藏出土。

高95厘米。

主尊立佛肉髻高大，波狀髮，着褒衣博帶式袈裟，左手作與願印，右手作施無畏印，兩側脅侍菩薩束髮髻，一手執蓮蕾，一手提桃形物。立佛貼金彩繪。

現藏山東省青州博物館。

石造像座綫刻

北魏

河南洛陽市東關出土。

高80厘米。

碑座正面中央刻夜叉手托圓盤，盤内置博山爐。兩旁各有一護法獅子，兩獅後各立一神王。左面刻四位神王着僧衣，穿長裙，披帛帶，站立于蓮臺或山石之上。右面亦刻四神王。背面刻禮佛圖。

現藏河南省洛陽古代藝術館。

石造像座左面綫刻

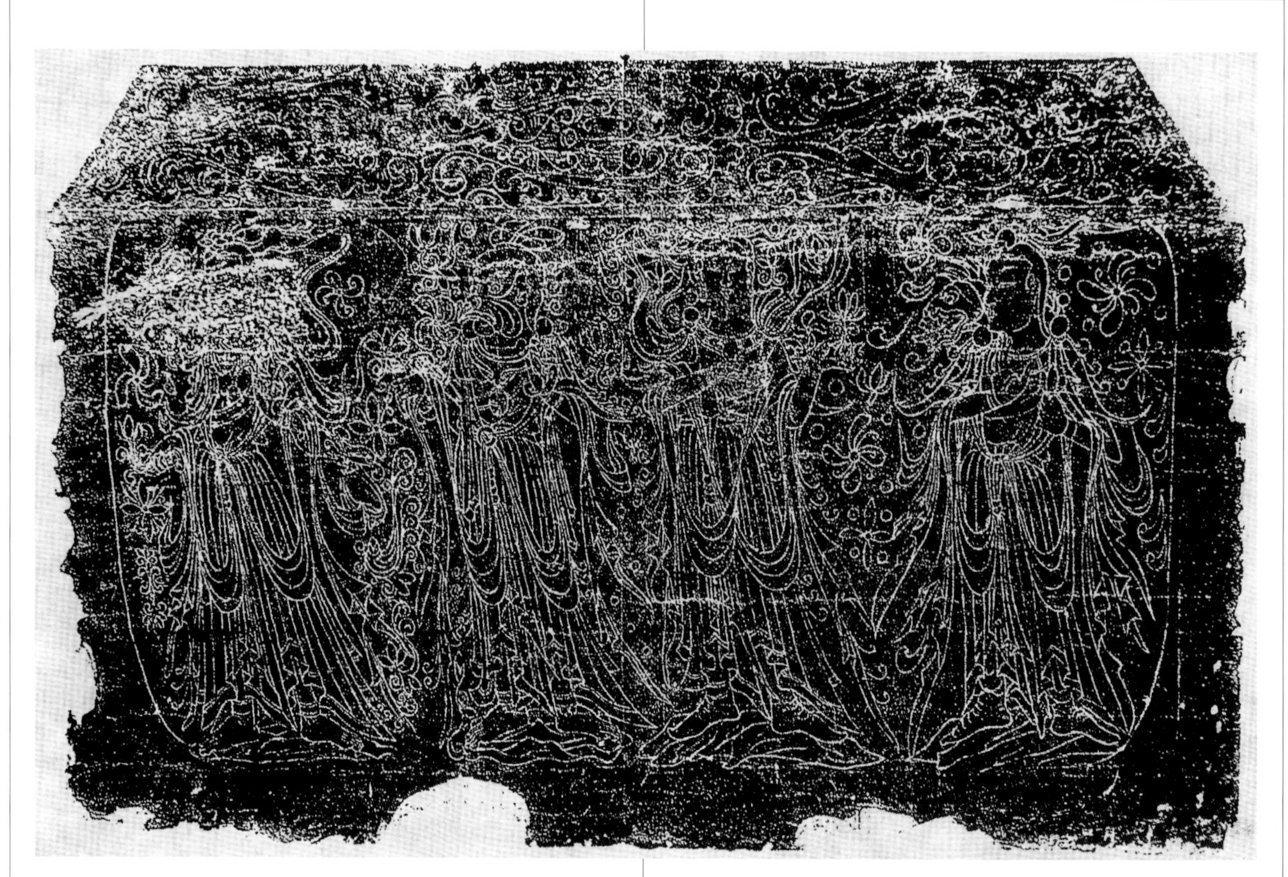

石造像座右面綫刻

石造像座背面綫刻

陶梳髻頭像

北魏
河南洛陽市永寧寺遺址出土。
殘高7.1厘米。
頭像髮際中分，束四瓣形髻，髻根有插飾物之孔，細眉小嘴，面相豐滿。
現藏中國社會科學院考古研究所。

陶比丘頭像

北魏
河南洛陽市永寧寺遺址出土。
殘高6.2厘米。
比丘光頭，細目小嘴，臉帶笑意。
現藏中國社會科學院考古研究所。

陶籠冠頭像

北魏
河南洛陽市永寧寺遺址出土。
殘高7.6厘米。
頭像戴籠冠，内套小冠，絡腮鬍鬚，面帶微笑。
現藏中國社會科學院考古研究所。

陶武士頭像

北魏
河南洛陽市永寧寺遺址出土。
殘高5厘米。
武士戴兜鍪，頂部渾圓，前有衝角，眼圓嘴大，絡腮鬍鬚。
現藏中國社會科學院考古研究所。

銅彌勒佛立像

北魏

寧夏西吉縣出土。

三尊彌勒佛并立，均高肉髻，左手作與願印，右手作施無畏印。佛身後爲火焰紋舟形背光。有北魏太平真君二年（公元441年）趙通造像記。

現藏寧夏回族自治區西吉縣文物管理所。

鎏金銅彌勒佛立像

北魏

高53.5厘米。

佛高髻，髮式以細小波紋形成渦狀，着通肩袈裟，衣質薄而貼體。有北魏太平真君四年（公元443年）菀申造彌勒佛像記。

現藏日本東京國立博物館。

鎏金銅彌勒三尊像

北魏

高17.2、寬11.4厘米。

佛居中坐于束腰方座上，兩側爲菩薩和飛天，佛座旁有雙獅和二供養人。佛座下爲力士托座。有北魏和平元年（公元460年）比丘法□造像記。

垷藏美國舊金山亞洲藝術博物館。

鎏金銅釋迦佛立像

北魏

河北滿城縣孟村出土。

高35.2厘米。

佛高肉髻，波狀髮，着袒右袈裟，右手作施無畏印，赤足而立。舟形火焰背光，圓形頭光。有北魏延興五年（公元475年）張次戴造像記。

現藏河北省博物館。

鎏金銅佛坐像

北魏
高40.3厘米。
佛高髻，着袒右袈裟。舟形背光，內飾火焰紋和坐佛。佛座旁有二蹲獅。背光背面刻說法圖、維摩詰經變和太子誕生圖等。有北魏太和元年（公元477年）造像銘。
現藏日本私人處。

鎏金銅佛立像

北魏

高141.5厘米。

佛高髻，髮式以細小波紋形成渦狀。着通肩袈裟，衣質薄而貼體。有北魏太和十年（公元486年）造像記。

現藏美國紐約大都會博物館。

銅觀世音菩薩立像

北魏

河北平泉縣出土。

高21.7厘米。

菩薩舟形火焰背光，戴高寶冠，寶繒上揚，袒上身，繞帔帛， 胸挂長瓔珞，下束裙，右手執一長莖蓮花。背面爲半跏坐思惟菩薩。有北魏太和十三年(公元489年)阿行造像記。

現藏河北省博物館。

銅觀世音菩薩立像背面

鎏金銅釋迦多寶并坐像

北魏

高23.5厘米。

二佛結跏趺并坐于束腰四足方座上，釋迦佛着袒右袈裟，多寶佛着通肩袈裟，分别作説法和禪定印。背面爲彌勒佛説法。有北魏太和十三年（公元489年）寬法生兄弟造像記。

現藏日本根津美術館。

鎏金銅釋迦多寶并坐像背面

鎏金銅彌勒佛立像

北魏
高39.8厘米。
佛高肉髻，着袒右袈裟，細密衣紋，赤足立于蓮臺。火焰紋背光，上有五身小坐佛。背光背面有北魏太和二十二年（公元498年）肥如縣普貴造像記。肥如縣爲今河北省盧龍縣一帶。
現藏日本京都泉屋博古館。

銅二佛并坐像

北魏
山東博興縣龍華寺遺址出土。
高13.4厘米。
二佛皆着通肩袈裟，手結禪定印。上部爲一小化佛。有北魏景明元年（公元500年）石景之造像記。
現藏山東省博興縣文物管理所。

銅觀世音菩薩立像

北魏
山東博興縣出土。
高17厘米。
菩薩頭戴花冠，繒帶飄揚，手作施無畏印和與願印。通體蓮瓣狀背光，上飾火焰紋。佛座上刻北魏永平四年（公元511年）明敬武造像記。
現藏山東省博興縣文物管理所。

鎏金銅觀世音菩薩立像

北魏
高24.6厘米。
菩薩束高髻，戴項圈、手鐲，袒上身，斜繞帔帛，下束裙，赤足立于蓮座上。有北魏延昌三年（公元514年）車安生造像記。
現藏上海博物館。

鎏金銅觀世音菩薩立像

北魏
高27.1厘米。
菩薩頭戴花冠，中嵌寶珠，繒帶飄揚，右手舉蓮蕾。佛座上刻北魏熙平三年（公元518年）蒲吾縣道人曇任、道密造像記。蒲吾爲今河北正定一帶。
現藏日本私人處。

鎏金銅二佛并坐像

北魏

高26厘米。

釋迦、多寶二佛并坐，呈談經論道狀。有北魏熙平三年（公元518年）曇任造像記。

現藏法國巴黎吉美美術館。

鎏金銅彌勒菩薩像

北魏

高44.5厘米。

彌勒菩薩戴高冠，肩上有餅形飾，身繞帔帛交于腹前環形飾上，左手作與願印，右手作施無畏印，交脚坐于一金翅鳥上。有北魏神龜元年(公元518年)邽夏□造像記。

現藏日本大阪市藤田美術館。

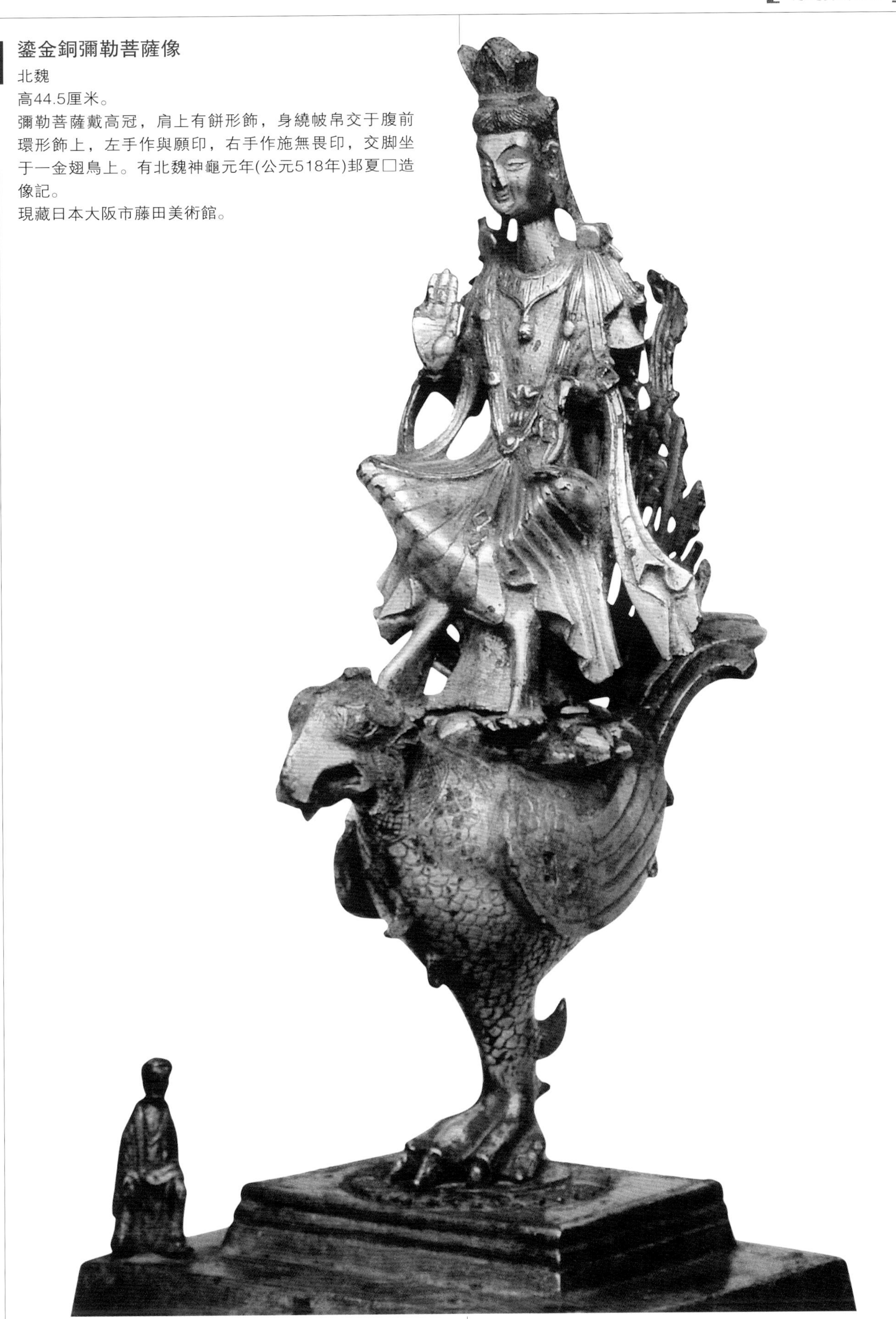

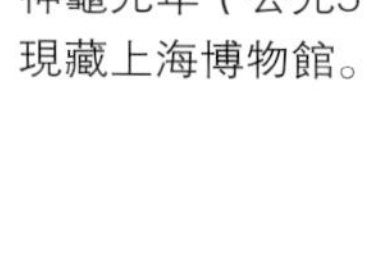

鎏金銅觀世音菩薩立像

北魏

高18.8厘米。

菩薩着交領寬袖服裝，肩飾寶珠，足穿雲頭履。有北魏神龜元年（公元518年）盧邊之造像記。

現藏上海博物館。

銅菩薩立像

北魏

高19.5厘米。

菩薩舟形火焰背光，戴寶冠，袒上身，繞帔帛，下束裙，右手執長莖蓮花，赤足立于蓮臺上。有北魏正光三年（公元522年）造像記。

現藏河北省博物館。

鎏金銅彌勒佛立像

北魏
河北正定縣出土。
高79厘米。
佛高肉髻，波狀髮，着褒衣博帶式袈裟，左手作與願印，右手作施無畏印。舟形火焰背光外緣有九身飛天。立佛兩側各有一脅侍菩薩，蓮座兩側各有一半跏坐思惟菩薩、二供養菩薩和一力士。臺座前部有雙獸。有北魏正光五年（公元524年）牛猷造像記。
現藏美國紐約大都會博物館。

鎏金銅佛坐像

北魏
北京延慶縣宗家營出土。
高 33.6厘米。
佛高肉髻，波狀髮，雙耳下垂至肩，內着僧祇支，外披偏衫袈裟，結跏趺坐于束腰須彌座上，座旁有二蹲獅。座下方有二身持蓮蕾的供養人。
現藏首都博物館。

鎏金銅佛立像

北魏

高22.5厘米。

佛高髮髻，着褒衣博帶式袈裟，雙手作與願印和施無畏印。

現藏上海博物館。

鎏金銅二佛并坐像

北魏

河北靈壽縣三聖院村出土。

高23.2厘米。

二佛着褒衣博帶式袈裟，結跏趺坐于束腰座上。有胡市遷兄弟造像記。

現藏河北省正定縣文物保管所。

石雕造像碑

東魏

河南鄭州市二中出土。

高105厘米。

坐佛高肉髻，結跏趺坐于長方形束腰須彌座上，下衣擺垂覆座上。坐佛兩側各有一弟子、一菩薩、一天王。座兩側有二蹲獅。碑陰下部有東魏天平二年（公元535年）造像記。

現藏河南博物院。

石雕彌勒佛立像

東魏

高179厘米。

佛身着褒衣博帶式袈裟，舟形背光頂部有一龍，兩側飾伎樂天。有東魏天平二年（公元535年）張白奴造像記。

現藏日本京都市藤井有鄰館。

石雕佛立像

東魏

位于山東博興縣丈八佛村原興國寺遺址。

高500厘米。

立佛高肉髻，波狀髮，着褒衣博帶袈裟，左手作與願印，右手作施無畏印，赤足立于蓮座上。佛座側面有東魏天平七年（公元540年）造像記。

石雕思惟菩薩像

東魏

河北曲陽縣修德寺遺址出土。

高46厘米。

菩薩圓形大頭光，戴寶冠，寶繒上揚，長髮披肩，半跏坐，右手執一長莖蓮花，作思惟狀。有東魏元象元年（公元538年）惠照造像記。

現藏故宮博物院。

石雕佛坐像

東魏

高60.5厘米。

佛高肉髻，波狀髮，着雙領下垂袈裟，下裳下垂披覆佛座。背面下部有東魏天平三年（公元536年）造像記。

現藏日本大阪市立美術館。

石雕造像碑

東魏

河南新鄉縣梁村出土。

高200、寬80厘米。

尖拱龕内爲坐佛，龕梁兩側爲二弟子和二菩薩，龕下爲博山爐、二獅和二力士，碑額刻維摩文殊論道像，碑陰上部刻釋迦、多寶二佛并坐，下部綫刻佛傳故事、供養人像和東魏武定元年（公元543年）道俗九十人造像記。

現藏河南博物院。

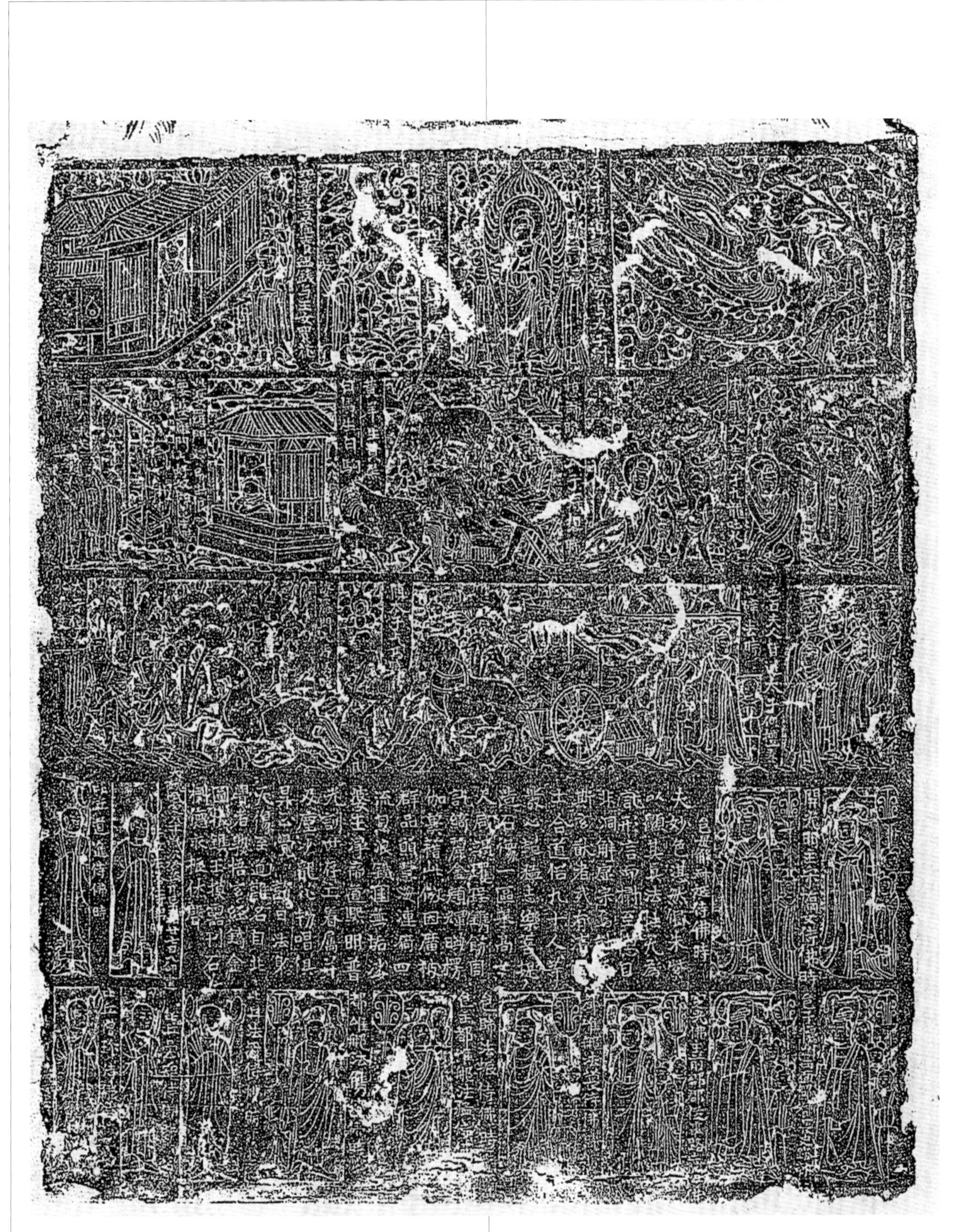

石雕造像碑碑陰綫刻

石雕菩薩立像

東魏

河北曲陽縣修德寺遺址出土。

高35厘米。

菩薩舟形背光，戴寶冠、項圈，身繞帔帛交于腹前環形飾上，右手執一蓮蕾，左手提一桃形物，赤足立于蓮座上。有東魏武定二年（公元544年）蘇豐洛造像記。

現藏故宮博物院。

石雕釋迦佛坐像

東魏

山西太原市華塔村出土。

高41厘米。

佛高肉髻，着雙領下垂式袈裟，結跏趺坐于方座。座正面浮雕博山爐和雙獅。背光殘，二脅侍菩薩足部殘留。有東魏武定三年（公元545年）郭妙姿造像記。

現藏山西博物院。

石雕二佛并坐像

東魏
河北曲陽縣修德寺遺址出土。
高45厘米。
二佛着褒衣博帶式袈裟，袈裟下擺遮座。佛座背面有東魏武定五年（公元547年）張同柱造像記。
現藏故宮博物院。

石雕觀世音菩薩立像

東魏
河北曲陽縣修德寺遺址出土。
殘高20.5厘米。
菩薩頭戴花冠，上身披帔帛，下身着裙，左手提一物，右手舉蓮蕾。底座有東魏武定六年（公元548年）張慶和造像記。
現藏河北省博物館。

石雕阿彌陀佛立像

東魏

河北景縣徵集。

高72.5厘米。

佛立于蓮座上，佛兩側彩繪從寶瓶中生出的荷花。背屏正面上部爲六身飛天，上部兩飛天捧托一座方塔；背面繪一身樹下思惟菩薩。基座上有東魏武定八年（公元550年）張道明夫婦造像記。

現藏河北省博物館。

貼金彩繪石雕佛立像

東魏

山東青州市龍興寺窖藏出土。

高112厘米。

立佛肉髻光滑，左手作與願印，右手作施無畏印，兩側爲脅侍菩薩。舟形背光上有六飛天奏樂，二飛天雙手托塔。

現藏山東省青州博物館。

貼金彩繪石雕佛立像

東魏

山東青州市龍興寺窖藏出土。

高121.5厘米。

立佛肉髻高大，螺髮，着褒衣博帶式袈裟，繪彩貼金，下方兩側有二龍。兩旁爲脅侍菩薩，亦貼金繪彩，身繞帔帛，赤足立于蓮臺上。

現藏山東省青州博物館。

貼金彩繪石雕佛立像

東魏

山東青州市龍興寺窖藏出土。

高133厘米。

立佛圓形頭光，内飾蓮瓣紋，高肉髻，螺髮，内着僧祇支，外披雙領下垂式袈裟，上單綫陰刻衣紋，施紅緑彩。佛臉、頸、胸部貼金。

現藏山東省青州博物館。

貼金石雕佛頭像

東魏

山東青州市龍興寺窖藏出土。

高27厘米。

佛高肉髻，螺髮，面相清瘦，嘴角帶笑意，臉上貼金。

現藏山東省青州博物館。

石雕佛立像

東魏

山西平遥縣顯慶寺故址出土。

高142厘米。

佛肉髻低圓、光滑，内穿長裙，外披袒右袈裟。

現藏上海博物館。

石雕佛坐像

東魏

山西平遥縣顯慶寺故址出土。

佛低髮髻，身披袈裟，結跏趺坐，露右足。

現藏上海博物館。

石雕佛立像

東魏

高202厘米。

立佛。肉髻低圓，内着僧祇支，外披雙領下垂式袈裟，左手作與願印，右手作施無畏印。兩側爲脅侍菩薩，戴寶冠，身繞帔帛。

現藏上海博物館。

石雕佛立像

東魏

高125厘米。

主像爲立佛，佛兩側爲二菩薩。背光綫刻飛天、火焰紋、蓮花和菩提樹圖案，座上和背面綫刻比丘和供養人像。

現藏日本東京國立博物館。

彩繪石雕菩薩立像

東魏

河北定州市城東出土。

高27厘米。

菩薩頭戴冠，帛帶垂肩。右手上揚持蓮蕾，左手下垂持環狀物，赤足立于蓮臺。基座爲博山爐和雙獅。像施彩繪，并多處描金。

現藏河北省定州市博物館。

彩繪石雕菩薩立像側面

石雕菩薩立像

東魏

河北蠡縣出土。

高23.5厘米。

菩薩頭戴寶冠，袒胸鼓腹，搭肩帔帛于腹前穿璧交叉。右手持蓮蕾，左手曲肘持團狀物。

現藏河北省定州市博物館。

石雕菩薩立像

東魏

河北蠡縣出土。

高30.8厘米。

菩薩束仰蓮冠，冠帶于髮髻兩旁結花，右手上揚持蓮蕾，左手下垂持餅狀物，内着僧祇支，外披帛，下着長裙，赤足立于蓮座上。

現藏河北省定州市博物館。

貼金彩繪石雕菩薩立像

東魏
山東青州市龍興寺窖藏出土。
高95厘米。

菩薩束高髻，冠中貼金，袒上身，頸飾貼金項圈和瓔珞，腕戴貼金手鐲，下身束裙，赤足立于蓮臺上。
現藏山東省青州博物館。

貼金彩繪石雕菩薩立像背面

彩繪石雕菩薩立像

東魏

山東青州市龍興寺窖藏出土。

高110厘米。

菩薩頭髮挽成冠狀并束帶，袒上身，戴金項圈，下身着紅色裙，身披瓔珞，身左下部浮雕一龍，龍口銜荷花、荷葉和蓮蕾。

現藏山東省青州博物館。

彩繪石雕菩薩像

東魏

山東青州市龍興寺窖藏出土。

殘高36厘米。

菩薩寶繒下垂，戴項圈，挂瓔珞，肩上有餅形飾，身着天衣。

現藏山東省青州博物館。

貼金彩繪石雕菩薩立像

東魏

山東青州市龍興寺窖藏出土。

高82厘米。

菩薩戴折巾式冠，袒上身，繞帔帛，肩上有餅形飾，下束裙，裙角外張，赤足而立。

現藏山東省青州博物館。

貼金彩繪石雕菩薩立像

東魏

山東青州市龍興寺窖藏出土。

高164厘米。

菩薩頭戴寶冠，肩上有餅形飾，頸戴項圈，身挂長瓔珞交于腹前圓璧上，下束長裙。全身貼金彩繪。

現藏山東省青州博物館。

石雕菩薩立像

東魏

山西榆社縣福祥寺出土。

高100.6厘米。

菩薩頭戴頭巾形冠飾，着裙，胸部繫帶。

現藏山西省榆社縣博物館。

石雕菩薩像

東魏

傳出自河南洛陽市白馬寺。

高196.5厘米。

菩薩半跏趺坐，穿長裙。

現藏美國波士頓美術館。

石雕菩薩立像

東魏

高128厘米。

菩薩戴冠，冠下横帶束扎頭後，左右兩側成花結，再垂于耳後。上身着袒右偏衫，下着多褶長裙。

現藏北京保利藝術博物館。

石雕菩薩立像側面

石雕菩薩立像背面

石雕交脚彌勒菩薩龕像

東魏

高31.5厘米。

菩薩頭戴大寶冠，袒上身，下着裙，雙手于胸前結印，交脚而坐。龕内兩側雕供養人和獅子。像背面中間雕一株菩提樹，樹下對稱有二身半跏坐思惟菩薩，二菩薩頭梳大雙髻。

現藏日本大阪市立美術館。

石雕交脚彌勒菩薩龕像背面

鎏金銅彌勒佛立像

東魏

高61.5厘米。

佛立于蓮座上，兩旁爲弟子和菩薩。火焰紋背光，背光頂部有一方塔，兩側各有四飛天。有東魏天平三年（公元536年）定州中山上曲陽縣樂氏造像記。

現藏美國賓西法尼亞大學博物館。

鎏金銅觀世音菩薩立像

東魏

山西壽陽縣出土。

高20.8厘米。

菩薩戴高冠，赤足立于蓮座上。火焰紋背光，背光頂部爲蓮花寶珠，兩側各有三身飛天。有東魏武定六年（公元548年）故六口阿奴造像記。

現藏山西省壽陽縣文物管理所。

鎏金銅觀世音菩薩像

東魏

高15.2厘米。

闕形建築内有二觀音菩薩并坐，舟形火焰背光，兩側有二弟子。 高足床上有東魏興和三年（公元541年）發願文。

現藏故宫博物院。

鎏金銅佛立像

東魏

陝西西安市未央區六村堡大劉莊出土。

高35厘米。

本尊佛、兩脅侍菩薩、背光、臺座及臺座兩側的蓮花爲分別鑄造後組裝爲一體。背光上部爲蓮花托寶珠，臺座上爲龍吐蓮花，臺座兩側爲蓮花，臺座背面有“比丘惠津敬造供養”刻銘。

現藏陝西歷史博物館。

陶彩繪巫師俑

東魏

河北磁縣大冢營村茹茹公主墓出土。

高31厘米。

巫師頭戴高帽，面塗白粉，口微啓，長髯下垂，身穿博衣大袖紅袍，體微前傾，手持鋸齒狀法器。

現藏河北省邯鄲市博物館。

石雕佛坐像

西魏

高33.6厘米。

佛着雙領下垂袈裟，下裳遮座。背光上殘留彩繪痕迹。

有西魏大統六年（公元540年）劉迴朗造像記。

現藏日本大阪市立美術館。

石雕彩繪佛坐像

西魏

主尊高肉髻，内穿僧祇支，外着袈裟，右手作施無畏印，結跏趺坐于須彌座上，裙襞滿遮佛座。兩旁菩薩頭戴花鬘冠，佛座兩側各一護法獅。有西魏大統八年（公元542年）趙景造像記。

現藏美國私人處。

石雕彩繪佛坐像背面

石雕佛坐像

西魏

高38厘米。

像正、背面均爲拱形佛龕，龕内正中置佛像，龕柱兩側爲弟子、脅侍菩薩或天王形象。龕拱有飛天和蓮花。龕左右兩邊刻佛傳及男女供養人等。有西魏大統十六年（公元550年）岐法起造像記。

現藏上海博物館。

石雕佛坐像側面

石雕菩薩立像

北齊

傳山西出土。

高339.5厘米。

菩薩頭戴高冠，身繞帔帛，赤足立于蓮臺上。背光淺雕火焰紋和纏枝蓮花紋等。有北齊天保三年（公元552年）魏蠻造像記。

現藏日本東京國立博物館。

石雕彌勒佛倚坐像

北齊

高70.9厘米。

彌勒佛倚坐，兩旁立二弟子二菩薩。基座雕供養人，有北齊天保三年（公元552年）趙氏造像記。

現藏日本岡山縣大原美術館。

石雕思惟太子像

北齊

殘高52厘米。

太子作思惟狀，頭部和右手已殘失，左足踏蓮花。臺座前部有北齊天保四年（公元553年）道常造像記。

現藏上海博物館。

石雕思惟太子像背面

石雕菩薩像

北齊
山東諸城市出土。
殘高46.5厘米。
背面殘留北齊天保六年（公元555年）□表造彌勒像記，此菩薩爲彌勒佛之脅侍。
現藏山東省諸城市博物館。

石雕佛坐像

北齊
河北曲陽縣修德寺遺址出土。
殘高33厘米。
背屏上佛左右各浮雕一長莖有葉蓮花，蓮花上有童子。
底座正面爲力士扛博山爐、雙獅和二個供養人，側面有北齊天保八年（公元557年）張零根造像記。
現藏河北省博物館。

石雕彌勒佛像

北齊

高55厘米。

三拱式佛龕，彌勒佛坐于正間，兩旁的脅侍菩薩立于側間。有北齊天保八年（公元557年）黃海伯造像記。現藏日本大阪市立美術館。

石雕造像碑

北齊

河南襄城縣孫莊出土。

高108、寬57厘米。

碑分三層。上層帷帳龕内主尊菩薩半跏坐，兩側爲脅侍菩薩，龕外有二龍。中層爲文殊、維摩詰對坐，中間爲聽法衆人。下層爲一坐佛四弟子四菩薩；蓮花座下有一力士頂博山爐，旁爲供養人和蹲獅。有北齊天保十年（公元559年）張啖鬼造像記。現藏河南博物院。

描金彩繪石雕雙彌勒佛坐像

北齊

河北藁城市北賈同村出土。

高77厘米。

主像爲并坐的二身半跏坐彌勒佛，兩旁有二弟子和二菩薩。佛兩側爲菩提樹，蟠龍纏繞樹幹，樹葉間鏤刻七佛、飛天和寶塔等。佛座前二童子托佛足。基座正面爲二童子舉博山爐、雙獅和力士，博山爐上立金翅鳥，二童子撫鳥背。基座右側有北齊河清元年（公元562年）建忠寺比丘尼造像記。

現藏河北省正定縣文物保管所。

石雕造像碑

北齊

安徽亳州市咸平寺舊址出土。

高99厘米。

圓拱龕上方兩側爲文殊、維摩詰居士對坐；龕内佛結跏趺坐，着褒衣博帶式袈裟，旁爲脅侍菩薩和羅漢；蓮座下方爲獅子和力士。有北齊河清二年（公元563年）上官僧度等造像記。

現藏安徽省博物館。

石雕雙思惟菩薩坐像

北齊

河北藁城市出土。

高66.5厘米。

鏤空式背屏，背屏由盤龍、菩提樹、坐佛、飛天和二龍拱塔組成。基座浮雕博山爐、半跏坐胡人、蹲獅和力士。有北齊武平元年（公元570年）賈蘭業兄弟造像記。現藏河北省正定縣文物保管所。

描金彩繪石雕菩薩立像

北齊

河北藁城市北賈同村出土。

高96.5厘米。

菩薩頭戴花冠，下身着裙，身佩瓔珞。菩薩兩側爲二弟子和二脅侍菩薩。舟形背光，頂部爲力士托塔，兩側各有三飛天手托華繩。基座上有北齊武平元年（公元570年）賈瞳村邑人造像記。

現藏河北省正定縣文物保管所。

石雕佛坐像

北齊

河北曲陽縣修德寺遺址出土。

殘高22厘米。

佛結跏趺坐，右手作施無畏印。佛座上爲二身背身回首互望的獅子。底座上有北齊武平三年（公元572年）郎豪法造像記。

現藏河北省博物館。

貼金彩繪石雕佛立像

北齊
山東青州市龍興寺窖藏出土。
高97厘米。
立佛高肉髻，螺髮，着田相紋圓領通肩袈裟，用紅、綠、藍等彩繪出圖案，左手作與願印，右手作施無畏印，赤足而立。
現藏山東省青州博物館。

貼金彩繪石雕佛立像

北齊
山東青州市龍興寺窖藏出土。
高139 厘米。
立佛肉髻微凸，螺髮，內着僧祇支，外披雙領下垂式田相紋袈裟，赤足而立。像貼金繪紅彩。
現藏山東省青州博物館。

貼金彩繪石雕佛立像

北齊

山東青州市龍興寺窖藏出土。

高148厘米。

佛雙臂殘，身着袒右袈裟，衣紋凸起。

現藏山東省青州博物館。

貼金彩繪石雕佛坐像

北齊

山東青州市龍興寺窖藏出土。

高64厘米。

坐佛肉髻低平，螺髮，着偏衫袒右袈裟，面部、胸部、右臂皆貼金，胸口處畫“卐”字紋。

現藏山東省青州博物館。

彩繪石雕盧舍那佛立像

北齊

山東青州市龍興寺窖藏出土。

殘高115厘米。

佛像頭、手、足均殘失。佛着袒右式袈裟，袈裟正面由雙陰綫分割爲十三個方格，方格内刻尊像、山巒、人物和動物等，這些圖像原用色彩描繪細部，現彩繪多已脱落。

現藏山東省青州博物館。

貼金彩繪石雕佛坐像

北齊
山西太原市華塔村出土。
高46厘米。
佛結跏趺坐于蓮座上，兩旁站立弟子和菩薩，背光外緣爲方塔和供養天。佛蓮座前爲博山爐和供養比丘。基座上爲托博山爐的蓮花力士、雙獅和二力士。佛肌膚、方塔和博山爐上貼金，其餘部分施彩繪。
現藏山西博物院。

石雕佛坐像

北齊

河北臨漳縣習文鄉太平渠出土。

高73厘米。

主佛結跏趺坐，兩側爲弟子、立佛和菩薩。透雕菩提樹背屏，正面爲飛天和龍，背面爲九身坐佛。基座正面爲博山爐、蹲獅和菩薩，背面爲八身神王。主佛頭光背面也雕一佛二弟子。

現藏河北省文物研究所。

石雕佛坐像背面

石雕佛立像

北齊

傳出于河北。

高314.5厘米。

佛着長裙，披袈裟，赤足立于蓮座上。

現藏日本根津美術館。

石雕佛坐像

北齊

高161厘米。

坐佛高肉髻，波狀髮，着雙領下垂式袈裟，衣服貼體。舟形火焰背光內飾蓮花化生童子。

現藏上海博物館。

石雕佛立像

北齊

高144厘米。

佛頭光外圈和身光内圈雕飾荷葉、蓮蕾和蓮花，身光外圈雕飾火焰紋。

現藏上海博物館。

石雕佛立像

北齊

高101厘米。

佛螺髮，雙目下視，右臂殘。內着長裙，外披袒右袈裟。

現藏北京保利藝術博物館。

石雕佛立像背面

石雕造像碑

北齊

高105厘米。

殘存六龕，據碑文所知完整應爲十龕十佛。現存上層爲彌勒菩薩與釋迦多寶二佛雙龕；中層爲釋迦與觀音雙龕；下層爲阿彌陀和彌勒佛雙龕。

現藏上海博物館。

貼金彩繪石雕螺髻比丘立像

北齊

山東博興縣龍華寺遺址出土。

高96、寬29、厚18厘米。

比丘螺髻，着袒右袈裟。身上殘留彩繪痕迹。

現藏山東省博物館。

石雕彩繪佛坐像

北齊

主像爲一佛二弟子二菩薩，背光上有伎樂飛天。座上雕力士托博山爐、獅子和供養人。

現藏日本根津美術館。

石雕交脚菩薩坐像

北齊

河北臨漳縣習文鄉太平渠出土。

高55厘米。

主尊菩薩交脚坐，戴冠，飾瓔珞等；圓形頭光，正面滿飾蓮花、唐草和化生童子等，背面浮雕二佛并坐。交脚菩薩兩側爲弟子、立佛和菩薩。透雕菩提樹背屏，上部多已殘，正面爲飛天，背面爲飛天和小坐佛，樹下爲立佛和布施童子。基座上雕八身神王。

現藏河北省文物研究所。

石雕交脚菩薩坐像背面

石雕雙思惟菩薩像

北齊
河北曲陽縣修德寺遺址出土。
高28.5厘米。
二菩薩均舒相坐，手指支頰部，單足踏蓮臺。
現藏河北省博物館。

石雕思惟菩薩像

北齊
河北曲陽縣修德寺遺址出土。
殘高44.5厘米。
菩薩戴花鬘冠。上身裸露，佩挂胸飾，身披長帛，下着長裙，右手上折支頤，左手撫右腿，呈左舒相半跏坐筌蹄上，左足踏素圓臺。有劉氏家族造像記。
現藏故宮博物院。

石雕菩薩立像

北齊

河北曲陽縣修德寺遺址出土。

高117厘米。

菩薩頭和雙臂殘。袒上身，下着裙，身挂瓔珞。

現藏河北省博物館。

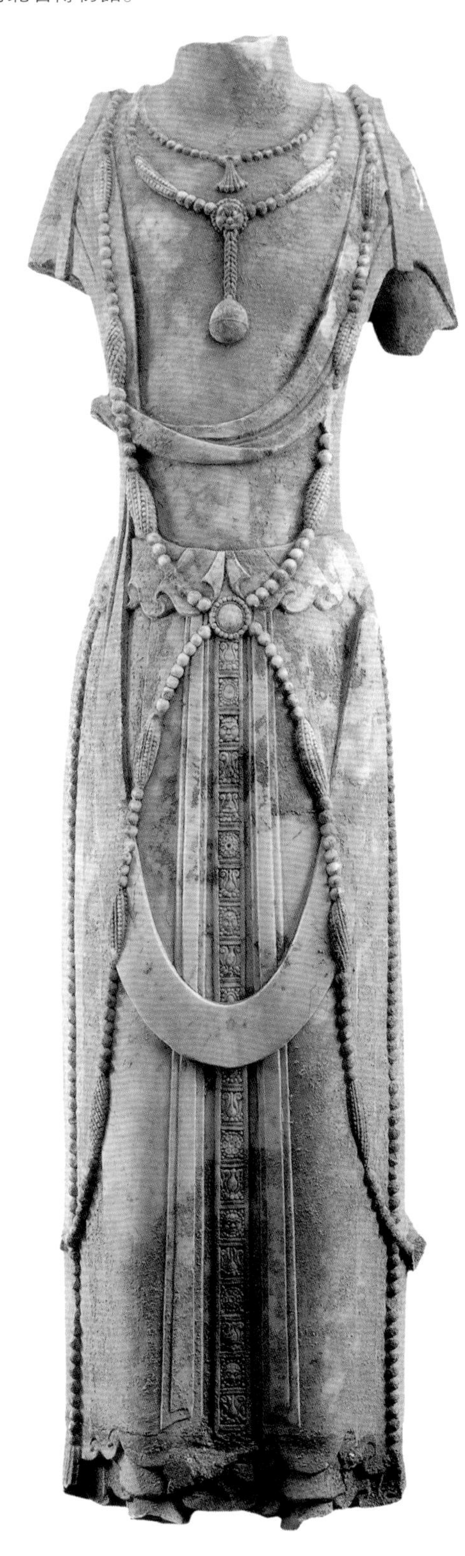

石雕菩薩立像背面

彩繪石雕供養菩薩像

北齊

河北定州市出土。

高31厘米。

該像曾施彩繪，頭光和唇部殘留硃砂，髻殘留墨迹。

現藏北京保利藝術博物館。

石雕觀世音菩薩立像

北齊

山西太原市華塔村出土。

高59.5厘米。

觀音菩薩頭戴化佛冠，赤足而立。兩側立弟子和脅侍菩薩。透雕菩提雙樹背屏，背屏上雕二龍拱塔和六身伎樂天，伎樂天各執樂器演奏。基座雕力士扛博山爐、獅子和力士。

現藏山西博物院。

石雕菩薩立像

北齊
山西沁縣南涅水村出土。
殘高95厘米。
菩薩頭、手皆殘失。内着交領衫，外披袒右袈裟，衣紋綫凸起。
現藏山西博物院。

彩繪石雕菩薩立像

北齊
山東臨朐縣出土。
高64厘米。
菩薩戴冠，身飾華麗瓔珞。
現藏山東省臨朐縣博物館。

貼金彩繪石雕菩薩立像

北齊

山東青州市龍興寺窖藏出土。

高136厘米。

菩薩頭戴花鬘冠，頸戴項圈，挂長瓔珞；下束長裙，裙帶寬博下垂，上刻蓮花、童子、鋪首等圖案。

現藏山東省青州博物館。

貼金彩繪石雕思惟菩薩像

北齊

山東青州市龍興寺窖藏出土。

高80厘米。

思惟菩薩戴花冠，上貼金，袒上身，肩上有餅形飾，戴項圈，下束裙，衣裙貼體，半跏坐，右手支頤，已殘，左足踏于一蓮花上。

現藏山東省青州博物館。

貼金彩繪石雕菩薩立像

北齊
山東諸城市出土。
高115.5厘米。
菩薩頭部寶冠及雙臂均已殘損。袒上身，斜披帔帛，下身着裙。
現藏山東省諸城市博物館。

貼金彩繪石雕菩薩立像

北齊
山東諸城市出土。
高117厘米。
菩薩寶冠和雙臂已殘。像從正面到背面，均以極細緻的綫條刻劃出衣服紋路及各種豪華飾物。
現藏山東省諸城市博物館。

鎏金銅菩薩立像

北齊

山東博興縣龍華寺遺址出土。

高17.7厘米。

菩薩身後有四重聯珠紋組成的頭光和五重聯珠紋組成的身光，内陰綫刻蓮瓣紋，外飾火焰紋。有北齊天保五年（公元554年）造像記。

現藏山東省博興縣文物保管所。

鎏金銅觀世音菩薩像

北齊

高18.9厘米。

觀世音菩薩赤足立于蓮座上，束高髻，身繞帔帛交于腹前，左手作與願印，右手作施無畏印。兩側爲脅侍菩薩。有北齊天保二年（公元551年）毛思慶造像記。

現藏上海博物館。

鎏金銅佛立像

北齊

高53.7厘米。

佛螺髮，低平肉髻，赤足立于蓮臺上。

現藏美國哈佛大學美術館。

鎏金銅菩薩立像

北齊

菩薩戴高冠，着長裙。左右脅侍菩薩足踏雲氣狀忍草枝。

現藏上海博物館。

鎏金銅菩薩立像

北齊

山東濰坊市徵集。

高64厘米。

菩薩戴高冠，雙手結印。背光和蓮座鏤雕蓮瓣。

現藏山東省博物館。

模印彩繪瓷菩薩像

北齊

山東博興縣張官村出土。

高18.5厘米。

菩薩桃形頭光，戴花冠，寶繒下垂，戴項圈，身挂長瓔珞交于腹前，左手握摩尼珠，右手執蓮蕾。像表面原塗金色，現大部分已脱落。

現藏山東省博興縣文物管理所。

石浮雕喪儀圖

北齊

高60、寬41.5厘米。

畫面上部一位祭司身着長袍，長巾掩口，正在向火壇内添加燃料，祭司身後四人或跪或立，手持小刀剺面。祭司脚下有一小犬。畫面下部有二女三男三馬。此圖表現祆教的喪葬儀式。

現藏日本滋賀縣MIHO博物館。

石浮雕四臂女神

北齊

高60.8、寬53.4厘米。

畫面上部爲一位四臂女神，上二手分别持日和月，下二手撫按獅頭；中部爲二女子演奏樂器，女子足踏蓮座；下部爲衆人樂舞。此圖表現祆教祭祀女神娜娜的場景。

現藏日本滋賀縣MIHO博物館。

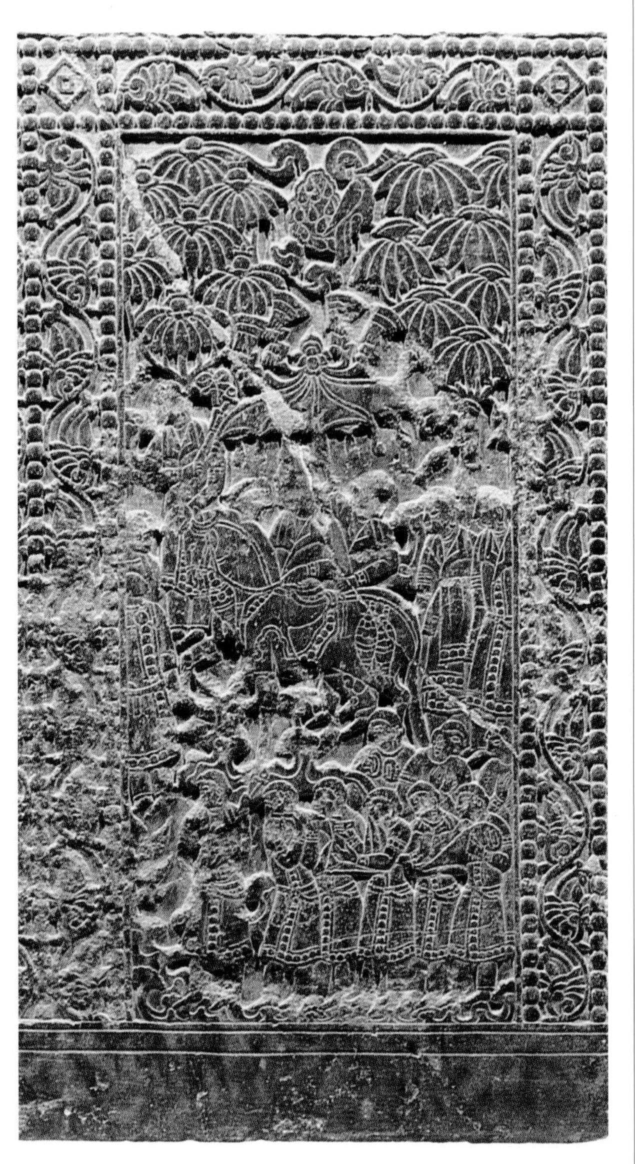

石浮雕祭祀隊列

北齊

河南安陽市出土。

高50、寬90厘米。

畫面中部一貴族乘于馬上，頂上有華蓋，華蓋上方有銜綬帶神鳥，馬頭上方有一男子手持一枝巨大的有莖、有葉、有花的植物。畫面下部爲一隊樂舞。此圖表現祆教祭神的場景。

現藏法國巴黎吉美美術館。

石雕佛像

北周

高64厘米。

四面皆刻。正面龕内爲如來佛像。龕楣上端刻八羅漢，龕旁各刻二羅漢，另外二側面各雕二羅漢，共十六羅漢。背面有北周武成元年（公元559年）造像記。

現藏上海博物館。

石雕佛像側面

石雕造像碑

北周
山西運城市出土。
高120、寬56.5厘米。
四面造像。正、背各雕造像三層。正面每層一主龕，兩旁各四小龕，計佛、弟子像十三尊，三層共計三十九尊。有北周保定二年（公元562年）陳海龍等造像記。
現藏山西博物院。

石雕觀世音菩薩立像

北周

高58.6厘米。

菩薩右手持蓮蕾，左手提鎖狀物。身旁兩側各有二比丘脅侍。像下爲四身供養比丘。背面有北周保定五年（公元565年）王永健造像記。

現藏日本大阪市立美術館。

石雕釋迦千佛造像碑

北周

河南洛寧縣出土。

高259、寬73.4厘米。

碑正面主龕兩側刻菩提樹，樹下雕佛坐像和侍從。下部刻北周保定五年（公元565年）造像記。碑背面雕千佛。

現藏河南博物院。

石雕造像碑

北周

甘肅張家川回族自治縣木河鄉出土。

高90厘米。

碑首爲二纏繞蟠龍。帷帳龕内爲一坐佛二脅侍菩薩，下方爲二力士和二蹲獅。碑基刻有北周建德二年（公元573年）王令儚造像記。碑陰開一尖形龕，内爲一倚坐佛，兩側有二脅侍菩薩，下方爲牛車和騎馬供養人。

現藏甘肅省博物館。

石雕造像碑背面

石雕釋迦佛立像

北周

高56厘米。

釋迦佛面相豐圓，身軀粗矮。佛座前面刻供養像和北周大象二年（公元580年）周紀仁造像記。

現藏上海博物館。

石雕佛立像

北周
陝西西安市灞橋區灣子村出土。
高182厘米。
佛螺髮，着通肩袈裟，左手牽握衣角，右手作施無畏印。佛座四面剔地陰綫刻供養人和神獸。
現藏陝西省西安碑林博物館。

石雕佛立像

北周
陝西西安市灞橋區灣子村出土。
高216厘米。
佛螺髮，唇上刻髫鬚，左手握衣角，右手作施無畏印。
袈裟表面殘留彩繪痕迹。
現藏陝西省西安碑林博物館。

彩繪石雕佛立像

北周
陝西西安市二府莊出土。
高170厘米。
佛饅頭狀螺髻，着圓領通肩式袈裟，右手作施無畏印。
佛座四角蹲獅。
現藏陝西省西安博物院。

石雕佛立像

北周
陝西西安市六村堡出土。
高65厘米。
佛螺髻，身着圓領袈裟，内着僧祇支，右手作施無畏印，左手執衣襟，赤足立于蓮花座上。
現藏陝西省西安博物院。

石雕佛頭

北周
陝西西安市出土。
高16厘米。
佛饅頭狀波髻。
現藏陝西省西安碑林博物館。

石雕佛坐像

北周

陝西西安市徵集。

高81、寬78厘米。

主龕内爲一佛、二菩薩、二弟子、二飛天，兩旁龕内各設一單體菩薩，下部爲獅子和供養人。

現藏陝西省西安碑林博物館。

石雕佛龕造像碑

北周

陝西西安市北草灘出土。

碑高38.5、寬29厘米。

龕内佛結跏趺坐于覆蓮座上，兩側立二弟子。

現藏陝西省西安博物院。

石雕佛龕造像碑

北周
陝西西安市北草灘出土。
碑高38、寬28厘米。
龕内佛着圓領通肩袈裟，結跏趺座于方形高臺須彌座上。佛兩側立脅侍菩薩。
現藏陝西省西安博物院。

石雕佛龕造像碑

北周
陝西西安市北草灘出土。
碑高36、寬27厘米。
龕内雕一佛、二弟子。佛有圓形頭光，高肉髻，身着雙領下垂式通肩袈裟，内着僧祇支，下着長裙，手作施無畏印，結跏趺坐于方形高臺須彌座上。
現藏陝西省西安博物院。

貼金石雕觀世音菩薩立像

北周

陝西西安市漢城鄉西查村出土。

高94厘米。

菩薩頭戴化佛冠，上身斜披帔帛，下着長裙。身上裝飾華麗瓔珞。右手持楊枝，左手握净瓶。寶冠、瓔珞及净瓶飾金箔。

現藏陝西省西安博物院。

貼金石雕觀世音菩薩立像

北周

陝西西安市漢城鄉西查村出土。

高69.2厘米。

菩薩頭戴化佛冠，上身半裸，頸飾項圈，胸佩瓔珞，下着長裙，右手執柳枝，左手提净瓶。寶冠、瓔珞及净瓶飾金箔。

現藏陝西省西安博物院。

鎏金銅佛立像

北周
陝西西安市徵集。
高17.7厘米。
佛火焰形頭光，着通肩袈裟，右手作施無畏印。蓮座下爲香爐和對獅。
現藏陝西省西安市文物保護考古所。

鎏金銅菩薩立像

北周
高46.2厘米。
菩薩頭戴高寶珠冠，冠旁繒帶垂肩，胸前滿挂串珠瓔珞。
現藏日本東京藝術大學美術館。

石浮雕祭壇圖

北周

陝西西安市未央區大明宮鄉炕底寨村安伽墓出土。

高68、寬128厘米。

畫面中間下部爲蓮花座，座上站立三峰尾部相接的駱駝，駝峰仰覆蓮座上置一大圓盤，盤上起火焰，此爲祆教的聖火壇。聖壇上方左右各一身彈奏樂器的伎樂天；下方左右各一身人首鷹身神，手持神杖，神前有六足祭案，案上置器皿。門額下部左右角上有跪坐男女胡人，前置小型聖壇。

石浮雕祭壇圖局部之一

石浮雕祭壇圖局部之二

石浮雕度亡靈圖

北周

陝西西安市未央區大明宮鄉井上村史君墓出土。

高84，寬110厘米。

石椁爲面闊五間、進深三間的歇山頂建築形式，石椁四面分别浮雕守護神、祆神及祭祀、升天、宴飲、出行和狩獵等題材的圖像。此圖爲石椁東面圖像，表現人死後亡靈進入天國的場景。右上方是周身光環騎牛的密斯拉神，其下爲五位接引天使。圖下方爲送亡靈進入天國的切努特橋，橋上是男女墓主人和獻祭的行列。天空中是流雲、翼馬和奏樂的天人。

現藏陝西省西安市文物保護考古所。

石浮雕祭司

北周

陝西西安市未央區大明宮鄉井上村史君墓出土。

此圖爲石椁南面圖像，表現祆教葬禮的場景。圖中央開直欞方窗，窗側立侍者，窗上爲四人樂隊，窗下爲司火壇的祭司，祭司人面鳥身，頭繫明冠，戴口罩，束腰帶。

鎏金銅佛坐像

南朝・宋

高29.2厘米。

佛高肉髻，雙耳下垂至肩，着通肩袈裟，手作禪定印。舟形火焰背光。有南朝宋元嘉十四年（公元437年）韓謙發願文。

現藏日本東京永青文庫。

鎏金銅佛坐像

南朝・宋
高29.3厘米。
佛高肉髻，着通肩袈裟，手作禪定印。舟形火焰紋背光，上有化佛。有南朝宋元嘉二十八年（公元451年）劉國之發願文。
現藏美國華盛頓弗利爾美術館。

彩繪貼金石雕佛坐像

南朝・齊
四川成都市商業街出土。
殘高37.4厘米。
佛結跏趺坐，着褒衣博帶式袈裟。佛兩側各有一身菩薩，右側菩薩頭束雙鬟髻，披巾于腹下十字交叉。佛座兩側各有一蹲獅。造像背面雕一屋形龕，龕内爲一交脚彌勒菩薩。龕下爲南朝齊建武二年（公元495年）荆州道人釋法明造觀世音成佛像發願文。
現藏四川省成都市文物考古研究所。

石雕造像碑

南朝・齊
四川茂縣出土。
碑高118、寬50厘米。

兩面造像。坐像爲彌勒佛 ，立像爲無量壽佛。二佛均着褒衣博帶式袈裟，左手作與願印，右手作施無畏印。有南朝齊永明元年（公元483年）西凉比丘玄嵩發願文。現藏四川博物院。

石雕造像碑背面

彩繪貼金石雕彌勒佛坐像

南朝・齊

四川成都市西安路出土。

殘高64、寬45.6厘米。

佛結跏趺坐于叠澀獅子座上，圓形頭光，内飾蓮瓣紋，着褒衣博帶式袈裟，左手作與願印，右手作施無畏印；兩側爲脅侍菩薩，帔帛交于腹前，或手提桃形飾，或手提净瓶。佛頭光旁有小坐佛和飛天。造像表面貼金。背面有南朝齊永明八年（公元490年）釋法海發願文。

現藏四川省成都市文物考古研究所。

石雕釋迦佛立像

南朝・梁

四川成都市萬佛寺遺址出土。

殘高35.8、寬30.4厘米。

佛着褒衣博帶式袈裟，左手作與願印，右手作施無畏印，赤足立于蓮座上。蓮座兩側有二蹲獅。佛兩側各有二弟子和菩薩。前部兩側爲二天王。座基正面有六伎樂天，兩側各一伏地負重地鬼。像背面有南朝梁普通四年（公元523年）康勝發願文。

現藏四川博物院。

石雕释迦佛立像背面

彩繪貼金石雕釋迦佛立像

南朝・梁
四川成都市西安路出土。
高39.7、寬27.3厘米。
正面爲一佛、四菩薩、四弟子、二力士，背面上部爲禮佛供養圖，下部爲南朝梁中大通二年（公元530年）晃藏發願文。
現藏四川省成都市文物考古研究所。

彩繪貼金石雕釋迦佛立像背面

石雕釋迦佛立像

南朝・梁

四川成都市萬佛寺遺址出土。

殘高158厘米。

佛頭和雙手殘，着通肩袈裟，衣紋薄而細密，赤足而立。背面有南朝梁中大通元年（公元529年）發願文。

現藏四川博物院。

石雕佛立像

南朝・梁

四川成都市萬佛寺遺址出土。

殘高127.5厘米。

佛頭和雙手殘，身着褒衣博帶式袈裟。背面有南朝梁大同三年（公元537年）侯朗發願文。

現藏四川博物院。

彩繪貼金石雕釋迦多寶像

南朝・梁
四川成都市西安路出土。
高43、寬29.5厘米。
正面爲二佛并坐及五菩薩、二弟子和二力士像，二佛分别坐于蓮座上，座下有蓮莖。背面上部爲浮雕釋迦説法圖，下部爲南朝梁大同十一年（公元545年）張元發願文。
現藏四川省成都市文物考古研究所。

漆金石雕佛坐像

南朝・梁

高34.2厘米。

坐佛高肉髻，螺髮，内着僧祇支，外着褒衣博帶式袈裟， 衣裙下擺垂覆座上。佛兩側爲二菩薩和陰綫刻二弟子。舟形背光上方陰綫刻佛説法圖。背光後面有南朝梁中大同元年（公元546年） 釋慧影發願文。

現藏上海博物館。

石雕觀世音菩薩立像

南朝・梁
四川成都市萬佛寺遺址出土。
高43.6、寬39.5厘米。
觀音菩薩戴化佛冠，寶繒下垂，身挂瓔珞交于腹前環形飾上，下束裙，赤足而立。兩側各有二佛弟子和二脅侍菩薩，前部兩側各有一踏象天王和獅子。座基正面爲八伎樂天，吹奏各種樂器。背面有南朝梁中大同三年（應爲太清二年，公元548年）愛秦發願文。
現藏四川博物院。

石雕阿育王像

南朝·梁

四川成都市西安路出土。

殘高48厘米。

阿育王螺髮，蓄八字鬍，着通肩式袈裟，衣服貼體，赤足立于蓮座上；背面有浮雕佛傳故事及南朝梁太清五年（公元551年）杜僧逸發願文。

現藏四川省成都市文物考古研究所。

鎏金銅觀世音菩薩立像

南朝・陳
高22.4厘米。
菩薩戴高冠，右手持楊枝，左手握净瓶。有南朝陳太建元年（公元569年）徐大智發願文。
現藏日本東京藝術大學藝術館。

鎏金銅佛坐像

南朝・梁
主尊坐于須彌座上，高髻，着通肩袈裟。有南朝梁大同七年（公元541年）張興遵發願文。
現藏上海博物館。

石雕佛坐像

南朝

四川成都市萬佛寺遺址出土。

高47、寬26厘米。

佛結跏趺坐，舟形背光内雕七坐佛，高肉髻，内着僧祇支，外披雙領下垂式袈裟，兩側各有一弟子和二脅侍菩薩。基座上有二供養比丘。舟形背光上方雕伎樂天人。

現藏四川博物院。

石雕佛立像

南朝

四川成都市商業街出土。

高40.1厘米。

造像正面爲一佛四菩薩、四弟子和二力士。佛着褒衣博帶袈裟，右手作施無畏印；佛兩側各立二菩薩，在佛和菩薩之間浮雕四弟子；座前兩側各立一力士，均身披帛，雙手握金剛杵。佛與菩薩像後爲蓮瓣形大背光，用寶珠紋分隔成内外兩層，内層爲三組佛說法圖，外層刻方塔及十四身伎樂天。造像兩側面各浮雕一神王像，均跣足而立，頭戴風帽，雙手于胸前拄一金剛杵。

現藏四川省成都市文物考古研究所。

石雕二菩薩立像

南朝

四川成都市萬佛寺遺址出土。

石上部殘。正面爲二菩薩立于連莖蓮花上，兩旁各有二身脅侍菩薩，下部爲二獅子和二力士。背面爲淺浮雕，上部爲净土變圖，下部爲山巒和《法華經・普門品》中觀音菩薩普救衆生的場面。兩側面各有八格，格内浮雕人物、動物、寶塔和蓮花等。

現藏四川博物院。

石雕二菩薩立像左側面

石雕二菩薩立像背面

石雕二菩薩立像右側面

石雕阿育王頭像

南朝

四川成都市萬佛寺遺址出土。

高34.5厘米。

阿育王螺髮，唇上蓄八字鬍。

現藏四川博物院。

石雕阿育王立像

南朝

四川成都市萬佛寺遺址出土。

殘高161厘米。

像頭和雙手殘。身着通肩袈裟。衣紋厚重，赤足而立。

現藏四川博物院。

石雕天王像

南朝

四川成都市萬佛寺遺址出土。

高108厘米。

天王戴盔，蓄絡腮鬍髯，身披戰甲，腰繫帶，下束戰裙。

現藏中國國家博物館。

彩繪石雕維摩詰像

南朝

四川成都市西安路出土。

高60厘米。

維摩詰頭頂挽髻，戴蓮花冠，圓形頭光中心爲蓮瓣，四周繪光芒綫。着褒衣博帶式服裝，雙領敞開，左手執麈尾。臺座前方有一博山爐和二蹲獅，四角各有一侍者，着交領長袍，手持笏或捧罐。

現藏四川省成都市文物考古研究所。

石浮雕須彌山圖

南朝

四川成都市萬佛寺遺址出土。

高60、寬56厘米。

石下部殘。正面上部爲須彌山，下部爲天蓋局部。背面分三段表現彌勒兜率天宫。側面區劃方格，格内爲人物和天人等。

現藏四川博物院。

石浮雕須彌山圖背面

彩繪石雕造像碑

隋

甘肅涇川縣水泉寺出土。

高146.5厘米。

碑身正面分四層，第一層主龕爲釋迦、多寶佛，第二層主龕爲一佛二菩薩，第三層主龕爲倚坐佛，第四層主龕爲文殊菩薩和維摩詰。碑身背面上部開一龕，龕内爲倚坐菩薩和二弟子，有隋開皇元年（公元581年）造像記。

現藏甘肅省博物館。

石雕釋迦佛坐像

隋

高190、寬100厘米。

臺座上爲一佛二菩薩。舟形背光，背光上雕二株菩提樹，樹上分三層雕佛像。背光背面有隋開皇二年（公元582年）荀國醜等六十餘人造像記。現藏河南博物院。

彩繪石雕道教像

隋

陝西彬縣徵集。

高43厘米。

道者手持麈尾，坐姿。下部爲兩個相戲的小馬。有隋開皇三年（公元583年）白顯景造像記。

現藏陝西省西安碑林博物館。

石雕釋迦佛立像

隋

高29.4厘米。

佛赤足立于蓮臺上，兩旁爲二身脅侍菩薩。蓮臺兩旁爲二蹲獅。基座正面有隋開皇六年（公元586年）造像記。

現藏日本大阪市立美術館。

石雕佛立像

隋
高600厘米。
佛雙目微閉，面容肅穆。
現藏英國大英博物館。

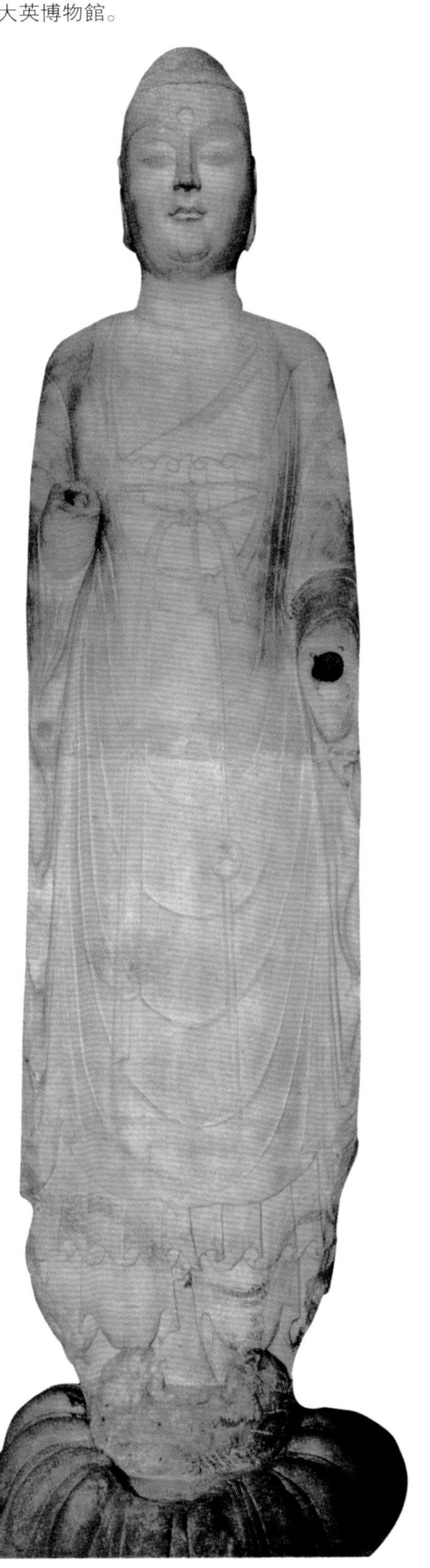

石雕觀音菩薩立像

隋
高307厘米。
此尊菩薩爲大英博物館所藏大佛立像（見左圖）之脅侍菩薩。臺座上有唐垂拱元年（公元685年）刻銘，記大佛及本像造于隋開皇五年（公元585年）。像原置于河北省柏鄉縣崇光寺。
現藏日本東京國立博物館。

石雕彌陀佛立像

隋

河北曲陽縣修德寺遺址出土。

高29.8厘米。

蓮花座上雕一佛二弟子。臺座背面有隋開皇十一年（公元591年）張茂仁造像記。

現藏故宮博物院。

石雕觀世音菩薩立像

隋

菩薩頭戴高花冠，身上飾華麗瓔珞，左手握寶瓶。有隋開皇十四年（公元594年）造像記。

現藏上海博物館。

石雕雙思惟菩薩像

隋
河北曲陽縣修德寺遺址出土。
高40厘米。
二菩薩頭光相連，菩薩身旁各立一弟子。石座上有隋仁壽二年（公元602年）造像記。
現藏故宫博物院。

石雕造像碑

隋
殘高62.6厘米。
主尊坐佛頭光内飾坐佛，高肉髻，右手作與願印，左手作施無畏印。兩側爲佛弟子和脅侍菩薩。基座上雕供養人、比丘、力士等。像背面浮雕交脚彌勒和供養人行列。
現藏上海博物館。

石雕佛坐像

隋

河北曲陽縣修德寺遺址出土。

殘高36厘米。

佛結跏趺坐，着雙領下垂式袈裟，衣紋輕薄貼體。

現藏故宫博物院。

石雕佛坐像

隋

高105厘米。

佛雙手缺失。螺髮，結跏趺坐。

現藏故宫博物院。

石雕觀世音菩薩像

隋
陝西西安市隋正覺寺遺址出土。
殘高45厘米。
菩薩頭戴化佛冠，身飾華麗瓔珞。
現藏陝西省西安博物院。

石雕菩薩立像（右圖）

隋
陝西潼關縣老虎村出土。
高103厘米。
菩薩右手持蓮蕾，左手握寶瓶。
現藏陝西省西安碑林博物館。

貼金石雕彌勒菩薩像

隋

陝西西安市塔坡清凉寺出土。

高185厘米。

彌勒菩薩交脚坐，頭戴寶冠，眉間有白毫，戴項圈，挂長瓔珞，身繞帔帛。

現藏陝西省西安碑林博物館。

石雕菩薩立像

隋

陝西藍田縣孟村出土。

高44.5厘米。

菩薩右手持楊枝，左手提寶瓶。

現藏陝西省西安碑林博物館。

石雕觀世音菩薩立像

隋

甘肅秦安縣出土。

高144厘米。

觀音頭戴化佛冠，右手上舉，左手持净瓶。

現藏甘肅省博物館。

石雕觀世音菩薩立像

隋

高188厘米。

菩薩身材健碩，表情莊重。

現藏美國賓西法尼亞大學博物館。

石雕觀世音菩薩立像

隋

陝西西安市某古寺出土。

高249厘米。

菩薩戴化佛寶冠，寶繒下垂，長髮披肩，瓔珞華麗蔽體，赤足站于蓮座上，兩側有二蹲獅。

現藏美國波士頓美術館。

鎏金銅阿彌陀佛坐像

隋

陝西西安市八里村出土。

高41厘米。

主尊阿彌陀佛桃形火焰頭光，高肉髻，螺髮，着袒右袈裟，左手作與願印，右手作施無畏印，結跏趺坐于蓮座上。兩側爲觀世音、大勢至二菩薩和二力士。欄杆下方有二蹲獅。有隋開皇四年（公元584年）董欽造像記。

現藏陝西省西安博物院。

鎏金銅雙身佛立像

隋

高19.4厘米。

二立佛肉髻不明顯，着雙領下垂寬袖大衣，左手作與願印，右手作施無畏印。有隋開皇七年（公元587年）惠寶造像記。

現藏遼寧省旅順博物館。

鎏金銅觀世音菩薩立像

隋

河北靈壽縣玆峪村出土。

高16.3厘米。

菩薩頭戴寶冠，右手持蓮蕾。有隋開皇八年（公元588年）趙愛造像記。

現藏河北省正定縣文物保管所。

鎏金銅佛坐像

隋

傳河北趙縣出土。

高76.5厘米。

主尊阿彌陀佛，高肉髻、螺髮，着袒右袈裟，結跏趺坐。兩側爲脅侍菩薩，袒上身，挂瓔珞，繞帔帛。上方爲花樹，頂部有七坐佛。下方爲一博山爐、二蹲獅和二力士。有隋開皇十三年（公元593年）范氏造像記。

現藏美國波士頓美術館。

鎏金銅佛立像

隋

高32.1厘米。

佛赤足立于覆蓮鏤空座上，體形壯碩。二菩薩立于兩側。有隋開皇十七年（公元597年）造像記。

現藏美國華盛頓弗利爾美術館。

銅佛坐像

隋

高37.6厘米。

主尊坐佛高肉髻，波狀髮，着袒右袈裟，頭光内飾蓮花忍冬紋。兩側爲脅侍菩薩、供養人和二蹲獅。

現藏上海博物館。

銅佛坐像局部之一

銅佛坐像局部之二

鎏金銅二佛并坐像

隋

河北唐縣北伏城出土。

高37.6厘米。

上部主尊爲釋迦佛與多寶佛，二佛坐于塔内。佛像下有二重四脚臺座，底部四脚臺座表面左右開有六個圓形小孔，分别固定着菩薩、侍者各兩尊以及比丘一尊。正面也有三處圓孔，正中央爲香爐。

現藏河北省博物館。

鎏金銅佛坐像

隋

高18厘米。

佛高髻，着袒右袈裟，下裳披覆佛座。

現藏上海博物館。

石浮雕密斯拉神

隋

山西太原市晉源區王郭村虞弘墓出土。

高96、寬70.5厘米。

圖上部爲一有頭光的天神騎馬而行，此天神頭戴日月冠，手持石榴，爲祆教的密斯拉神。馬後一侍從持華蓋跟隨，天空中有二吉祥鳥。馬前有石榴樹，樹下一人物持果盤站立。圖下部爲代表善的牛靈與代表惡的獅子相搏鬥。

現藏山西省考古研究所。

石浮雕祭壇

隋

山西太原市晋源區王郭村虞弘墓出土。

畫面位于一塊漢白玉椁板下部，正中爲一火壇，壇兩側各立一人面鳥身的司壇祭司，祭司頭戴冠，手戴手套，一手捂口，一手抬祭壇。

現藏山西省考古研究所。

石浮雕吹角者

隋

山西太原市晋源區王郭村虞弘墓出土。

畫面正中爲一單柄大壺，右側一人舉碗飲酒。左側一人手持一長角吹奏（或飲酒）。此圖表現祭祆活動的場面。

現藏山西省考古研究所。

彩繪泥塑釋迦牟尼佛像

唐

位于山西五臺縣南禪寺大殿。

南禪寺大殿建于唐建中三年（公元782年）。大殿佛壇上塑像十七身。此爲主尊釋迦牟尼佛像。

彩繪泥塑承座力士

唐

位于山西五臺縣南禪寺大殿釋迦牟尼佛坐像佛座上。力士二身，均上身赤裸，肌肉凸起。

彩繪泥塑供養菩薩像

唐

位于山西五臺縣南禪寺大殿釋迦牟尼佛左前側。

高156厘米。

菩薩裸上身，蹲跪于蓮臺上。

彩繪泥塑供養菩薩像

唐

位于山西五臺縣南禪寺大殿釋迦牟尼佛右前側。

高156厘米。

菩薩裸上身，蹲跪于蓮臺上。

彩繪泥塑文殊菩薩像

唐
位于山西五臺縣南禪寺大殿釋迦牟尼佛右側。
高250厘米。
文殊菩薩結跏趺坐于蓮座上，獅背負蓮座。

彩繪泥塑普賢菩薩像

唐

位于山西五臺縣南禪寺大殿釋迦牟尼佛左側。

高250厘米。

普賢菩薩結跏趺坐于蓮座上，象背負蓮座。

彩繪泥塑童子像

唐

位于山西五臺縣南禪寺大殿普賢菩薩前。

高78厘米。

童子上身赤裸，下着長褲，雙手已殘，原應爲合十禮拜狀。

彩繪泥塑獠蠻像

唐

位于山西五臺縣南禪寺大殿普賢菩薩前。

高136厘米。

獠蠻髻髮，胡人相，爲普賢菩薩牽象。

彩繪泥塑弟子菩薩立像

唐

位于山西五臺縣南禪寺大殿釋迦牟尼佛右側。

弟子高216、菩薩高239厘米。

弟子青年形象，爲阿難；菩薩腰微扭，面目慈祥。

彩繪泥塑菩薩立像

唐

位于山西五臺縣南禪寺大殿文殊菩薩前。

高250厘米。

菩薩戴花冠，佩項飾。

彩繪泥塑弟子像

唐

位于山西五臺縣南禪寺大殿釋迦牟尼佛左側。

弟子老年形象，爲迦葉。此圖爲局部。

彩繪泥塑天王立像

唐

位于山西五臺縣南禪寺大殿文殊菩薩前。

高250厘米。

天王戴盔着甲，身軀微扭。

彩繪泥塑菩薩天王立像

唐

位于山西五臺縣南禪寺大殿普賢菩薩前。

菩薩、天王均高250厘米。

菩薩頭戴冠，裸上身，下着裙；天王戴盔着甲，肩披天衣。

彩繪泥塑釋迦牟尼佛群像

唐

位于山西五臺縣佛光寺東大殿。

佛通高530厘米。

佛光寺東大殿建于唐大中十一年（公元857年）。

殿内有塑像三十五身，多經後世重裝。正中爲釋迦牟尼佛，左爲彌勒佛，右爲阿彌陀佛，另有普賢菩薩和文殊菩薩，各像有二身或四身脅侍。釋迦牟尼佛左手托鉢，右手作觸地印。

彩繪泥塑脅侍菩薩像

唐

位于山西五臺縣佛光寺東大殿釋迦牟尼佛左側。

高295厘米。

菩薩戴高冠，袒上身，下着裙。

彩繪泥塑脅侍菩薩像

唐

位于山西五臺縣佛光寺東大殿釋迦牟尼佛右側。

高295厘米。

菩薩戴高冠，袒上身，下着裙。

彩繪泥塑供養菩薩像

唐

位于山西五臺縣佛光寺東大殿釋迦牟尼佛右下側。

高156厘米。

菩薩戴高冠，蹲跪于蓮臺上，手捧果盤。

彩繪泥塑供養菩薩像

唐

位于山西五臺縣佛光寺東大殿釋迦牟尼佛左下側。

高156厘米。

菩薩戴高冠，蹲跪于蓮臺上，手持果盤。

彩繪泥塑阿彌陀佛像

唐

位于山西五臺縣佛光寺東大殿。

佛通高530厘米。

阿彌陀佛雙手作轉法輪印。左右脅侍菩薩各兩尊，左右供養菩薩各一尊。

彩繪泥塑脅侍菩薩像

唐

位于山西五臺縣佛光寺東大殿阿彌陀佛右側。

均高295厘米。

菩薩頭戴高冠，下着裙，臂繞帔帛。

彩繪泥塑脅侍菩薩像

唐

位于山西五臺縣佛光寺東大殿阿彌陀佛左側。

均高295厘米。

菩薩頭戴高冠，一菩薩上身穿緊身小衣，雙手合十。

彩繪泥塑供養菩薩像

唐

位于山西五臺縣佛光寺東大殿彌勒佛左下側。

高113厘米。

菩薩戴高冠，蹲跪于蓮臺上，手托供養物。

彩繪泥塑普賢菩薩像

唐

位于山西五臺縣佛光寺東大殿。

高350厘米。

普賢菩薩手持經卷，半跏坐于象背的蓮臺上。

彩繪泥塑文殊菩薩像

唐

位于山西五臺縣佛光寺東大殿。

高350厘米。

文殊菩薩頭戴化佛冠，兩袖翻捲作火焰形，腰束帶，手持如意，半跏坐于獅背的蓮臺上。

彩繪泥塑天王像

唐

位于山西五臺縣佛光寺東大殿。

高410厘米。

天王戴盔着甲，黑面大眼，神態威猛。右手持劍。

彩繪泥塑五尊像

唐

位于山西晋城市古青蓮寺南殿。

古青蓮寺始建于北齊，唐代重修。南殿内塑像壇上主尊爲釋迦牟尼佛，左右爲二弟子、文殊和普賢二菩薩，另有脅侍菩薩和天王等。

彩繪泥塑釋迦牟尼佛像

唐

位于山西晋城市古青蓮寺南殿。

佛螺髮，頂髻殘，手作説法印。佛左側爲弟子迦葉。

彩繪泥塑菩薩和弟子像

唐

位于山西晋城市古青蓮寺南殿。

菩薩束髮，袒上身，斜披絡腋，下着裙。其左側爲佛弟子阿難。

彩繪泥塑天王像

唐

位于山西晋城市古青蓮寺南殿。

天王戴巾着甲，外披戰袍，雙手殘失，已不知原持兵器。

石雕佛坐像

唐

傳出于陝西西安市。

高81厘米。

佛螺髮，結跏趺坐，袈裟下裳披覆臺座。寶相花紋背光。蓮座束腰處有唐貞觀十三年（公元639年）中書舍人馬周造像記。

現藏日本京都藤井有鄰館。

石雕阿彌陀佛坐像

唐

山東茌平縣出土。

高51.5厘米。

佛坐于束腰蓮座上，佛座束腰處有力士托座。二菩薩立于蓮臺上。臺座上爲雙獅和博山爐。佛頭光和博山爐用陰綫刻出。臺座正面有唐顯慶五年（公元660年）行儒造像記。現藏山東省聊城市博物館。

石雕造像碑

唐

山西萬榮縣佛寺徵集。

高155.8厘米。

碑首爲二蟠龍和倚坐佛。圓拱尖形龕内爲一坐佛、二弟子、二菩薩。兩側有二力士。下方爲一力士舉博山爐、二供養人和二蹲獅。有武周久視元年（公元700年）題記。

現藏山西博物院。

彩繪石雕釋迦佛坐像

唐

山西芮城縣風陵渡東章村出土。

高80厘米。

佛螺髮，高髻，眼睛微闔作下視狀，結跏趺坐于八角形束腰座。座下部側面有武周長安三年（公元703年）張思慶造像記。

現藏山西省芮城縣博物館。

石雕佛坐像

唐

出于陝西西安市寶慶寺。

佛倚坐于方形束腰座，足踏仰蓮，頭上有華蓋。佛兩旁立二菩薩。有武周長安四年（公元704年）造像記。
現藏日本東京國立博物館。

石雕造像碑

唐

河南偃師市寇店鄉采集。

高42.8、寬28.5厘米。

主像爲一佛二菩薩，主像下爲男女供養人，龕楣雕七佛。龕兩側刻唐神龍元年（公元705年）骨二娘造像記。

現藏河南偃師商城博物館。

石雕佛造像

唐

高47.5、寬47厘米。

佛結跏趺坐，兩旁爲二菩薩。有唐開元七年（公元719年）造像記。

現藏陝西省西安碑林博物館。

石雕天尊坐像

唐

山西運城市安邑中陳鄉徵集。

高256.5厘米。

天尊頭戴蓮花冠，長髯，右手持扇和麈尾，左手扶几。底座正面有唐開元七年（公元719年）趙思禮造像記。

現藏山西博物院。

石雕阿彌陀佛坐像

唐

山西夏縣徵集。

高152厘米。

坐佛圓形頭光，內飾波狀花紋和七坐佛，高肉髻，螺髮，面相豐滿，頸刻三道紋，身軀碩壯，內着僧祇支，外披雙領下垂式袈裟，結跏趺坐于束腰八角形蓮座上。有唐開元十四年（公元726年）李道禮造像記。

現藏山西博物院。

石雕佛立像

唐

山西萬榮縣徵集。

高215厘米。

立佛高肉髻，螺髮，眉間有白毫，着袒右袈裟，赤足立于蓮座上。有唐開元二十五年（公元737年）李道禮造像記。

現藏山西博物院。

石雕佛坐像

唐

河北曲陽縣修德寺遺址出土。

殘高30厘米。

佛頭殘失。有唐天寶五年（公元746年）郅延果造像記。

現藏故宫博物院。

石雕彌勒佛像

唐

山西稷山縣徵集。

高155厘米。

佛倚坐，雙足踩蓮踏。佛有蓮瓣頭光，兩肩上有日和月。臺座靠背爲龍首靠，兩側面有摩羯魚。臺座下部正面有唐天寶四年（公元745年）造像記。

現藏山西博物院。

石雕釋迦坐像

唐

山西五臺縣佛光寺塔基下發現。

高112厘米。

坐佛高肉髻，波狀髮，下衣裙擺垂覆座上。基座上有唐天寶十一年（公元752年）造像記。

現藏山西省五臺縣佛光寺東大殿。

石雕藥師佛坐像

唐

陝西麟游縣九成宫鎮太平寺遺址出土。

通高173、佛像高94、臺座直徑84厘米。

身披袈裟，偏袒右肩，腹前持一巨大鉢盂，結跏趺坐于高仰蓮座上。

現藏陝西省麟游縣博物館。

石雕佛立像

唐

陝西禮泉縣徵集。

高198厘米。

佛高螺髻，着通肩袈裟，赤足立于蓮座上。

現藏陝西省西安碑林博物館。

貼金彩繪石雕佛立像

唐

陝西西安市禮泉寺遺址出土。

高50厘米。

佛高肉髻，右手持物，左手持袈裟一角上屈。

現藏陝西省西安博物院。

石雕佛立像

唐

陝西西安市南郊沙浮沱村出土。

高79厘米。

佛高螺髻，着通肩袈裟。

現藏陝西省西安碑林博物館。

石雕佛立像

唐

陝西西安市出土。

高169厘米。

佛螺髻，右手殘，左手提袈裟。

現藏陝西省西安碑林博物館。

石雕釋迦降外道像

唐

陝西徵集。

高72厘米。

釋迦佛着袒右袈裟，右手平端上舉，左手掌心下壓，右掌上部和左掌下部各一圓環，圓環内爲神像。有題記“釋迦牟尼佛降外道時”。

現藏陝西省西安碑林博物館。

石雕佛坐像

唐

出于陝西西安市寶慶寺。

佛坐于方形束腰座上，座前雕香爐和二供養人。佛身後有椅背，頭上有樹冠，佛右臂戴臂釧，兩旁立二菩薩。現藏日本東京國立博物館。

石雕佛坐像

唐
河南鄭州市北岡徵集。
高178厘米。
佛倚坐，雙足踩蓮踏。頭光上雕一坐佛和二弟子、二飛天。頭光和袈裟殘留紅、褐色彩繪痕迹。
現藏河南省鄭州市博物館。

石雕佛坐像

唐
河北邯鄲市北響堂山常樂寺遺址出土。
殘高43.5厘米。
佛高肉髻，上有摩尼珠寶頂嚴，眉間有白毫，袒胸，着通肩大衣，倚坐。
現藏河北省邯鄲市峰峰文物管理所。

石雕佛坐像

唐

高74厘米。

佛高螺髻，頸部刻三道弦紋，手作説法印。

現藏日本東京永青文庫。

石雕佛坐像

唐

四川成都市萬佛寺遺址出土。

高58厘米。

佛結跏趺坐于蓮座上，蓮座由生于罏中的蓮葉承托。

現藏四川博物院。

石雕迦葉立像

唐

河北邯鄲市北響堂山常樂寺遺址出土。

高49.5厘米。

迦葉爲老年比丘形象，着寬袖袈裟，雙手合十，赤足而立。

現藏河北省邯鄲市峰峰文物管理所。

石雕弟子立像

唐

山西五臺縣佛光寺塔基下發現。

分别高83和88厘米。

二弟子爲阿難、迦葉，着寬袖袈裟，赤足立于蓮座上。

現藏山西省五臺縣佛光寺東大殿。

石雕觀世音菩薩坐像

唐
陝西西安市東關景龍池遺址出土。
高73厘米。
菩薩束高髻，戴化佛寶冠，頸刻三道紋，戴項圈，挂瓔珞，身繞帔帛，手執蓮蕾，結跏趺坐于蓮座上。基座下開壼門，内有伎樂天。
現藏陝西省西安碑林博物館。

石雕十一面觀音像

唐

出于陝西西安市寶慶寺。

高113.8、寬29.8厘米。

觀音頭頂十面，右手持蓮花，左手提净瓶，赤足立于蓮座上，頭光上方左右有二飛天。

現藏日本東京國立博物館。

石雕菩薩立像

唐

陝西西安市火車站出土。

殘高110厘米。

菩薩身軀呈“S”形，長髮披肩，戴項圈，袒上身，斜繞帔帛，下束裙。

現藏陝西省西安碑林博物館。

石雕雙菩薩立像

唐
陝西徵集。
高55厘米。
二菩薩均高髻，頭戴化佛冠。底座上刻一坐佛，似爲後世補刻。
現藏陝西省西安碑林博物館。

石雕菩薩立像

唐
陝西西安市西關王家巷出土。
高48厘米。
菩薩頭戴化佛冠，左手提净瓶。
現藏陝西省西安碑林博物館。

石雕虛空藏菩薩坐像

唐

陝西西安市唐安國寺遺址出土。

高76厘米。

菩薩束髻，戴冠，挂長瓔珞，左手執長莖蓮花，腰部繫巾，結跏趺坐于蓮座上。

現藏陝西省西安碑林博物館。

石雕菩薩頭像

唐

陝西西安市陵園路出土。

高12厘米。

菩薩戴化佛冠，雙目微閉。

現藏陝西省西安碑林博物館 。

石雕思惟菩薩像

唐

陝西隴縣火燒寨鄉寺院遺址出土。

高46厘米。

菩薩梳高髻，髻前飾一桃形寶珠，坐于束腰圓座上。

現藏北京保利藝術博物館。

石雕思惟菩薩像背面

石雕菩薩立像

唐

河北曲陽縣修德寺遺址出土。

殘高163厘米。

菩薩頭、左手和右臂殘失。袒上身，頸飾三層項圈，下身着裙，裙上飾華麗瓔珞。

現藏河北省博物館。

石雕彌勒菩薩立像

唐

河南滎陽市大海寺遺址出土。

高233厘米。

菩薩束高髻，頸戴項圈，赤足立于蓮座上。蓮座下部側面有惠海造像記。

現藏河南省鄭州市博物館。

石雕十一面觀音像

唐

河南滎陽市大海寺遺址出土。

殘高171厘米。

觀音十一面六臂，中心兩臂雙掌合十。

現藏河南省鄭州市博物館。

石雕菩薩坐像

唐

四川成都市萬佛寺遺址出土。

高139厘米。

菩薩頭戴寶冠，袒上身，下着裙，全身披挂瓔珞、帔帛等，雙足踩蓮踏。

現藏四川博物院。

石雕觀世音菩薩頭像

唐

四川成都市萬佛寺遺址出土。

高41厘米。

菩薩頭戴三珠冠，冠中有化佛，化佛周邊纏繞花蔓。

現藏四川博物院。

石雕菩薩頭像

唐

四川成都市西郊鐵路局址出土。

菩薩束髻，戴花冠，臉上表情親切自然。

現藏四川博物院。

石雕菩薩像

唐

高72厘米。

菩薩胡跪，頭戴寶冠，下身着裙。

現藏上海博物館。

石雕菩薩像背面

石雕不動明王像

唐

陝西西安市唐安國寺遺址出土。

高63厘米。

明王忿怒相，坐于山岩座。

現藏陝西省西安碑林博物館。

石雕馬頭明王像

唐

陝西西安市唐安國寺遺址出土。

高89厘米。

明王三目三面八臂，呈忿怒容，頭部正面有化佛，化佛之上爲馬首（殘損）。左右兩側的第一隻手合于胸前結印，右側第二、三、四隻手分别作與願印、持念珠及寶斧，左側諸手分持蓮花、瓶及金剛杵。臺座爲置于盤石之上的蓮花寶座。現藏陝西省西安碑林博物館。

石雕降三世明王像

唐
陝西西安市唐安國寺遺址出土。
高76厘米。
明王三頭六臂，坐于山岩座。
現藏陝西省西安碑林博物館。

石雕金剛像

唐
陝西西安市唐安國寺遺址出土。
高71厘米。
金剛頭髮乍起，右臂高舉。
現藏陝西省西安碑林博物館。

石雕天王像

唐
陝西徵集。
殘高109.5厘米。

天王腰部略微右傾，立于石座之上。右手沿身體垂下。頭部、左臂、右手等部分均已殘損。
現藏陝西省西安碑林博物館。

石雕天王像

唐

陝西西安市南郊西安公路學院出土。

左像高107、右像高110厘米。

二身。一天王戴盔，一天王束高髻，均身着鎧甲。二天王足踏惡鬼，身上殘留彩繪痕迹。

現藏陝西省西安市文物保護考古所。

彩繪石雕天王像

唐
陝西扶風縣法門寺地宮出土。
左像高55、右像高56.5厘米。
二天王身着鎧甲，均以紅、緑、黑三色彩繪。一天王持斧狀物，一天王持劍。
現藏陝西省法門寺博物館。

石雕天王像

唐

河南偃師市溝口頭村出土。

高59厘米。

天王着鎧甲，足踏山岩座。

現藏河南省偃師商城博物館。

石雕力士像

唐

陝西西安市西關王家巷出土。

高43厘米。

力士肌肉凸起，呈怒相。

現藏陝西省西安碑林博物館。

石雕力士像

唐

四川成都市萬佛寺遺址出土。

殘高89厘米。

力士戴項圈，袒上身，肌肉塊分明，下束戰裙。

現藏四川博物院。

石雕力士像背面

彩繪石雕獅子

唐
陝西扶風縣法門寺地宮出土。
左像高56、右像高59.3厘米。
一對石獅表面有彩繪，部分貼金箔。
現藏陝西省法門寺博物館。